DE WEG TOT ELKANDER

Nel van der Zee

De weg tot elkander

VCL serie

ISBN 978 90 5977 481 0
NUR 344

© 2010, VCL-serie, Kampen
Omslagillustratie en -ontwerp: Bas Mazur
www.vclserie.nl
ISSN 0923-134X

1

Hij staarde uit het raam van de flat op de zevende verdieping van het grote kantoorgebouw waar het makelaarskantoor van zijn vader sinds tien jaar gevestigd was.

Voor die tijd was het kantoor aan huis geweest. Ze waren hun hele jeugd tot stilte gemaand als er klanten waren. Ze hadden, als die klanten weg waren hun schade ruimschoots ingehaald, hij dacht er met een weemoedige glimlach aan terug.

Nu was hij hier de baas. Officieel sinds vanmiddag. Toen waren ze allemaal bij de notaris geweest, zijn moeder, zijn beide zusters, An en Riet, en hij. Het was eigenlijk een verlengstuk van de begrafenis geweest. Heel triest allemaal. Hij wreef met zijn wijsvinger over de inktvlekken op het oude bureau, het had thuis ook in het kantoor gestaan. Zijn vader had het beslist mee willen nemen naar deze moderne ruimte. Anders zal ik me hier nooit thuis kunnen voelen, had hij gezegd. Het paste niet bij het andere meubilair maar dat viel nauwelijks op, omdat het altijd bezaaid had gelegen met papieren waarin hij alleen de weg wist. Dikwijls tot grote wanhoop van Hendrika zijn secretaresse, die gelukkig had toegezegd dat ze nog een poosje aan zou blijven nu hij zijn vader was opgevolgd.

Hij had haar wel moeten beloven dat hij naar een plaatsvervangster zou uitkijken. Alles was ineens veranderd door zijn plotselinge dood, hij stond er alleen voor. Hij zou willen dat, als hij straks thuiskwam Lizzy op hem zou zitten wachten. Maar ze kwam vanavond pas terug uit Zuid-Afrika waar ze een fotosafari had gemaakt. En dan ging ze niet naar zijn flat, maar naar haar eigen home boven het pakhuis waar ze haar atelier had.

Ze hadden al twee jaar een latrelatie. 'Je begrijpt toch wel dat ik niet bij jou in dat flatje kan wonen,' had ze gezegd, 'er zou niets uit mijn vingers komen. Je moet niet vergeten dat ik aan mijn doorbraak werk.' Hij glimlachte, tja dat had ze gezegd, ze werkte al jaren aan haar doorbraak, eerst had ze gefotografeerd en toen was ze begonnen met schilderen, nu deed ze allebei, maar er kwam weinig uit haar vingers zodat haar doorbraak ook uitbleef. Hij had het best gevonden, hij was haar financieel altijd bijgesprongen voor verf of een nieuw fototoestel en nu weer die dure reis naar Zuid-Afrika. Hij had het graag gedaan, hij verdiende immers behoorlijk, het kon eraf. Voor hem hoefde die doorbraak ook niet, het was voldoende dat ze het naar haar zin had. Later, met een gezin, zou er van dat schilderen en fotograferen ook niet veel terechtkomen, ze was er te wispelturig voor. Maar hij wilde nu trouwen, dus moest hij op zoek naar een huis waar ruimte was voor een atelier. Dat zoeken zou een goede afleiding zijn en Lizzy en hij zouden samen iets hebben waaraan ze konden werken.

Dat miste hij tot nu toe in hun relatie, ze hadden allebei hun werk en dat was het. Hij trok in gedachten een van de bureauladen open, hij zag verschillende brieven met een memo, dat had Hendrika gedaan, dacht hij, op deze manier had ze de warwinkel die op het bureau lag geordend. Zijn oog viel op een briefje dat los bij de papieren lag. 'Denk je nog even aan het dijkhuis waarover we gesproken hebben,' stond er in het handschrift van zijn vader.

Hij kreeg ineens een raar gevoel in zijn maagstreek, hij voelde zijn ogen vochtig worden. 'Je moest eens naar dat huis gaan kijken,' had zijn vader gezegd, 'ik heb gehoord dat het eerstdaags te koop komt, die oude heer is een poosje geleden overleden, hij woonde er met zijn kleindochter en nog een familie maar die familie is ook vertrokken. Het lijkt me een mooi huis voor moeder en mij als ik straks ophoud met werken. Het weiland dat je moeder heeft geërfd ligt er dichtbij, daar zou ik dan paarden kunnen houden. Ze voelt er nog niet veel voor maar als ze het eenmaal vanbinnen gezien heeft, zal ze wel bijdraaien. Ik ben er eens geweest toen er een schilderijententoonstelling was, vandaar dat ik er meer van weet. Het heeft aan de achterkant een schitterend uitzicht over de rivier! Er is heel wat van te maken, ik wil het natuurlijk helemaal laten renoveren.'

Dat had zijn vader gezegd, hij voelde ineens hoe leeg het zou zijn zonder hem.

Hij moest hier niet gaan zitten grienen, dacht hij terwijl hij wrevelig over zijn ogen streek, zo kon het nu eenmaal gaan in het leven. Hij legde het papiertje weer terug en sloot de la. Hij zou maar eens naar dat dijkhuis gaan kijken, dat leidde wat af. Misschien was het iets voor Lizzy en hem, hij had het wel eens gezien, het was groot. Lizzy zou daar ruimte genoeg hebben voor een atelier. Hij was er zeker van dat zijn moeder er geen belangstelling voor zou hebben, vooral nu vader er niet meer was.

Lizzy, dacht hij, hij wilde nu alleen aan Lizzy denken, ze zou er straks weer zijn. Voor de begrafenis van zijn vader had ze een mailtje gestuurd, ze schreef dat ze had geprobeerd te bellen maar hem niet had kunnen bereiken. Ze was in gedachten bij hem, schreef ze. Straks zou ze weer helemaal bij hem zijn. Het was zaterdag en twee dagen voor Kerstmis. Op kantoor werd niet gewerkt tot na de feestdagen. Ze hadden een zee van tijd om samen te zijn.

Hij reed langs de kade de dijk op en zag na een kwartier rijden het huis aan de dijk. Het was nog licht genoeg om het van buiten te bekijken, binnen zag hij lampen branden en een vage schim van iemand voor de verlichte ramen. Hij trok de stoute schoenen aan en liep naar de voordeur. Nog voor hij aan de koperen bel kon trekken ging het buitenlicht boven zijn hoofd aan, hij zag een gezicht voor het luikje in de voordeur verschijnen en toen ging de deur open.

'Goedenavond,' zei het meisje dat in de deuropening verschenen was, 'ik kijk altijd even door het raampje of het bezoek me aanstaat maar u ken ik, zie ik nu. U was pas nog op mijn afdeling in het ziekenhuis waar een patiënt in het magazijn een brandje had gesticht toen hij daar stiekem aan het roken was. Maar als u daarvoor komt, bent u aan het verkeerde adres, als fysiotherapeut heb ik daar niets mee te maken.'

'Een stom toeval,' zei hij, 'ik was bij u in het ziekenhuis namens de brandverzekering, daar was een foutje gemaakt doordat de schade op de roker verhaald moest worden. Maar het was gelukkig allemaal snel opgelost. Verzekeringen zijn namelijk een onderdeel van ons makelaarskantoor. Ik heb, toen ik bij u op de Technische Dienst moest wachten wel koffie van u gehad, maar ik meen dat we ons niet officieel aan elkaar hebben voorgesteld. Ik ben Maarten van Tricht en ik neem aan dat u de kleindochter van meneer Dalmeijer bent.'

Ze knikte glimlachend. 'Ik ben inderdaad Marieke Dalmeijer, opa is een paar maanden geleden overleden. Komt u toch verder, het is wat rommelig omdat ik zojuist de kerstversiering heb opgehangen. Ik ben binnen klaar, buiten moet ik alleen de krans nog op de voordeur hangen, maar dat kan morgen wel. Ik heb net koffie gezet, ik kan u weer een kopje aanbieden, als u wilt.'

'Geweldig,' zei hij, terwijl hij haar naar een kamer volgde.

Toen ze allebei achter een dampende kop koffie zaten zei ze lachend: 'Zeg het maar, waar komt u voor, met koffie praat je gemakkelijker.'

Ze is niet knap, dacht hij terwijl hij haar gadesloeg en om de tijd te rekken een slokje van de te hete koffie probeerde te nemen, maar haar gezicht gaat leven als ze praat en dat maakt haar heel aantrekkelijk. Dat halflange blonde haar staat haar goed en ze heeft sprekende blauwe ogen en een heel aardig, bijna jongensachtig figuurtje.

'Het gerucht gaat,' zei hij toen, 'dat u eerstdaags dit huis zou willen verkopen en ik zoek een dergelijk huis als dit. Daarmee is het eigenlijk allemaal gezegd.'

'Er zijn al meer makelaars geweest,' zei ze, 'het gerucht schijnt heel hardnekkig te zijn.'

'Maar ik kom niet in de eerste plaats als makelaar, ik wil het voor mezelf, ik ga binnenkort trouwen en ik zoek een dergelijk huis.'

Ze schudde haar hoofd. 'Ik verkoop het niet,' zei ze, 'tenminste niet zolang het niet nodig is. Ik verdien geen schatten maar ik heb een vaste baan in het ziekenhuis en dat is tegenwoordig al heel wat. Het huis is aardig op orde, opa deed alles zelf. Soms schoot zijn verfkwast wel eens uit en dat is minder fraai maar het huis staat nergens op schade dus kost het me voorlopig niet veel aan onderhoud en zelf heb ik niet veel nodig, dat scheelt ook. Maar toch kan ik wel een makelaar gebruiken, ik zoek namelijk een nieuwe huurder voor een paar kamers met keuken en douche. Hier heeft jarenlang een gezin gewoond, maar dat is verhuisd. Hij is leraar en kon een baan in Amsterdam krijgen. Met het oog op de kinderen die langzamerhand aan studeren toe zijn, was dat heel aantrekkelijk natuurlijk. Maar ik moet zien dat er een nieuwe huurder komt en dat is lastig. Kunt u me daar misschien mee helpen? Ik heb het liefst iemand die een tijdelijk onderdak zoekt. Ik kan een advertentie zetten, maar via een makelaar lijkt het me veiliger. Ik wil niet de kans lopen iemand in huis te halen die me problemen bezorgt.'

Hij knikte. 'We hebben een afdeling verhuur op ons kantoor. Het hoofd daarvan is net terug van zwangerschapsverlof, daar boft u bij want ze doet haar werk altijd uitstekend. Het lijkt me een goed idee de ruimte die u verhuren wilt straks samen even te bekijken, dan kan ik haar daarover verslag uitbrengen.'

'Dat doen we,' zei ze, terwijl ze opstond, 'maar u wilt vast eerst nog een kopje koffie.'

'Heel graag,' zei hij, ik zit hier goed, dacht hij, het leidt wat af en Lizzy is er nog lang niet, ze zal bellen als ze van Schiphol vertrekt. Hij hoefde haar niet te halen, had ze laten weten, ze werd door haar opdrachtgever thuisgebracht. Dat woord opdrachtgever was eigenlijk niet juist, want ze moest de hele reis zelf betalen, die zogenaamde opdrachtgever, een zekere meneer Lodder, had alleen beloofd dat hij de door haar gemaakte foto's van haar zou nemen als hij ze voor zijn boek gebruiken kon. Hij had het een zwakke basis om iets te verdienen gevonden en dat had hij haar ook gezegd. Maar ze was er zo van overtuigd geweest dat deze reis haar iets bijzonders zou brengen dat hij er niet verder op was ingegaan. Lodder en zijn vriendin, die de reis ook meemaakte, schreven samen een boek over hotels en pensions in Zuid-Afrika, ze wilden dat voorzien van foto's. Ook was het plan de diverse hoteliers en pensionhouders warm te maken voor een geïllustreerde brochure om daarmee in Holland reclame voor hen te maken. Ze moesten daarvoor betalen. Maar ook hiermee zou Lizzy financieel wel buiten de boot vallen. Lodder nam natuurlijk voor die prospectussen de foto's die hij zelf had gemaakt. Hij had er zich op ingesteld dat dit hele snoepreisje voor zijn rekening kwam en dat het Lizzy nooit een cent zou opleveren. In de toekomst moest zoiets natuurlijk niet te vaak meer voorkomen, ze gingen nu trouwen en dat zou heel wat kosten met zich meebrengen. Bovendien kon hij zich minder veroorloven nu zijn vader er niet meer was. Hij moest in de loop der tijd zijn moeder en zijn zusters uit de zaak kopen. Dat wilde hij zo snel mogelijk realiseren want dan zou hij pas eigen baas zijn.

Zijn gedachtegang werd onderbroken door zijn gastvrouw die binnenkwam met de koffie. 'Ik heb er een stukje verse appeltaart bij gedaan,' zei ze. 'Ik hoop dat u ervan houdt.'

'Heerlijk,' zei hij, 'ik ben een enorme zoetekauw. Maar ik voel me schuldig, ik ben hier zomaar binnengerold en nu drink ik niet alleen uw lekkere koffie maar ik eet ook nog de taart op.'

'Hindert niet, ik bak zo weer een nieuwe,' wuifde ze zijn bezwaren weg, 'en u bespaart me een gang naar uw kantoor. Straks bekijkt u de ruimte die ik heb aan te bieden en dan zit ik na de feestdagen al bij u in de molen. Een rustig idee.'

Toen hij later wegreed zag hij op het klokje van het dashboard dat het veel later was dan hij dacht. Hij moest zich haasten om boodschappen voor Lizzy te doen, dat had hij haar beloofd. En hij moest bloemen voor haar kopen, ze was altijd blij met bloemen. Als hij voor de bloemenzaak te laat was, ging hij wel naar het station. Hij had zijn tijd mooi verprutst daar in dat dijkhuis. Jammer dat ze het niet wilde verkopen, het zou leuk zijn geweest als hij Lizzy straks had kunnen vertellen dat hij een huis voor hen had gevonden waarin ze een prachtige studio zou hebben.

Hij kwam nog ruim op tijd in Lizzy's woning om alles voor haar komst in orde te maken. Eerst zette hij de verwarming hoger, die had natuurlijk in haar afwezigheid op een laag pitje gestaan. Hij overwoog of hij het boeket van vijfentwintig rode rozen in een vaas zou zetten of dat hij haar de bloemen ingepakt zou aanbieden. Hij besloot voor het eerste, na een lange reis zou ze moe zijn en blij zijn dat ze er niets meer aan hoefde te doen. Hij stak kaarsen aan en zette kopjes en bordjes op de eettafel voor het geval ze trek in iets zou hebben. Zo, en nu de vaas met rozen op de tafel, in het midden tussen de brandende kaarsen. Hij overzag het geheel, er ontbrak nog iets, hij zou een fles rode wijn en wijnglazen neerzetten, dat gaf het extra feestelijke tintje aan alles. Hij ging in een gemakkelijke stoel zitten en overzag tevreden zijn werk. Hij was er zeker van dat ze op een dergelijke ontvangst niet rekende. Jammer dat het dijkhuis niets kon worden, dacht hij weer. Ze zouden de dagen tussen kerst en nieuwjaar gebruiken om iets anders te zoeken. Hij zou al zijn collega's bellen.

Toen hij daar in afwachting van haar komst zat, kwamen de gedachten aan de verdrietige gebeurtenissen van de afgelopen dagen weer boven. An en Karel hadden zich gelukkig over moeder ontfermd, ze zou tijdens de feestdagen bij hen komen logeren. Hun twee jongens Dennis en Gerard zouden haar afleiden, hoopte hij. Riet had in het ziekenhuis waar ze hoofdverpleegster was, de feestdagen vrij kunnen krijgen, ze logeerde ook bij An. Hij was uitgenodigd maar hij had in afwachting van Lizzy's komst geen beslissing willen nemen, zo konden ze samen overleggen waar ze de feestdagen zouden doorbrengen.

Toen hoorde hij beneden het ratelend geluid van de zware schuifdeur die geopend werd. Daar was ze al, hij stond vlug op om haar beneden tegemoet te gaan.

'Je ruikt naar een vreemd land,' zei hij toen hij haar had begroet en haar nog in zijn armen hield, 'wat ben ik blij dat je er weer bent. Ik zie zelfs bij dit schaarse licht dat je bruin bent geworden. Heb je het fijn gehad?'

'Geweldig,' zei ze, 'alleen jammer dat jij er niet bij was.'

'Later gaan we samen een keer,' beloofde hij, 'ik ben nog nooit in Afrika geweest.'

Ze liepen gearmd de ruimte door, aan de voet van de brede houten trap die naar boven leidde, en veegden op een ruige mat het zaagsel dat overal op de vloer lag van hun voeten. 'Het is hier koud,' huiverde ze zich dicht tegen hem aan drukkend.

'Boven is het heerlijk warm,' zei hij, 'daar zal je helemaal weer bijkomen.'

Ze slaakte een kreetje van verrassing toen ze de feestelijk gedekte tafel zag. 'O, wat mooi,' riep ze uit, 'en wat is het hier heerlijk warm. Wat jammer dat ik zo moe ben, ik zou zo in slaap kunnen vallen, weet je dat?'

Hij knikte begrijpend. 'Doe dat dan ook maar,' stelde hij voor. 'Ik stop je gewoon in bed, hoe lijkt je dat?'

'Jammer, lijkt het me,' zei ze, 'ik had je zulk geweldig nieuws te vertellen.'

'Maar toch te moe voor geweldig nieuws?'

'Morgen misschien beter,' zei ze. Maar toen ze eenmaal in bed lag zei ze: 'Ik kom weer een beetje bij. En ik moet het grote nieuws toch kwijt. Ik vertel het even heel summier. We hebben een tussenstop in Rome gemaakt, daar hebben we

12

gegeten. We hadden een afspraak met een heel belangrijke man, een zekere Peter Müller, een Amerikaan uit New York. Hij had ons gisteren pas uitgenodigd, het kwam dus allemaal heel plotseling. Hij had foto's van me gezien, nee, niet die ik heb gemaakt maar foto's van mezelf. Hij zoekt een type als ik, hij wil het met me proberen als model. Nooit aan zoiets gedacht, maar hoe vind je het? Is het niet iets heel geweldigs?'

Hij keek peinzend naar haar, ze had eigenlijk een poppengezichtje, een roze smoeltje met blauwe ogen, omkranst door lichtblonde lange krullen. Ze was wel een soort schoonheid zoals ze daar in de kussens lag. Misschien zou ze het als model heel goed doen, hij wist niets van die dingen. 'Dat zal dan je derde carrière worden,' zei hij alleen.

'Inderdaad, hoe vind je het?' zei ze weer.

'Tja…' zei hij, 'en waar moet dat proberen dan plaatsvinden? In New York, neem ik aan.'

'Ja, natuurlijk, dat is een gebeurtenis op zich, ik ben nog nooit in New York geweest en nu moet ik er direct na de feestdagen naartoe om proef te stomen. Ik woon daar in een appartement met nog twee andere modellen, het lijkt me net een sprookje, stel je voor.'

Hij stelde het zich voor en hij dacht daarbij ook aan de plannen die hij had, samen een huis zoeken, trouwen. Maar hij kwam in haar sprookje niet voor. Ze had nu haar ogen gesloten. 'Ik ben zo moe,' zei ze zacht, 'vind je het erg?'

'Nee, ik begrijp het wel,' zei hij, 'een lange reis en daarbij al die emoties.'

'We hebben het nog niet eens over je vader gehad,' mompelde ze met haar ogen gesloten. 'Het was zeker allemaal erg naar?'

'Ja,' zei hij, 'dat was het, we spreken er morgen verder over. Ik ga nu naar de familie, dat lijkt me het beste voor je. Bovendien zal de familie het op prijs stellen dat ik vanavond bij hen ben. Ze begrijpen allemaal wel dat jij niet van de partij kunt zijn na die lange reis.' Hij streelde even haar wang en drukte er een vluchtige kus op. 'Slaap eerst maar eens goed uit,' zei hij, 'morgen zie je me weer, ik bel je. Voor het geval je honger krijgt, er is van alles in huis. Slaap lekker.'

'Je bent zo verschrikkelijk lief,' mompelde ze nog maar hij geloofde dat ze al half in slaap was.

Voor hij wegreed bleef hij een poosje achter het stuur van zijn auto zitten en dacht na: fotomodel in New York, ze had al veel ondernomen en ze was even zovele malen mislukt in wat ze ondernomen had, maar deze keer was hij er niet zo zeker van dat dat zou gebeuren. Ze was beeldschoon, daarover was iedereen het eens en ze had ook de juiste lengte en proporties voor een fotomodel. In deze situatie had zoeken naar een huis geen zin, want een huwelijk leek hem mijlen verwijderd. Er zat niets anders op dan af te wachten wat Amerika en die Peter Müller hun zouden brengen.

Hij reed naar het huis van Karel en An en vond daar de hele familie vertegenwoordigd. 'Lief van je, dat je gekomen bent,' zei zijn moeder, 'is Lizzy goed aangekomen? Fijn jongen, dat is een hele rust voor je.'

'Ze was erg moe en is meteen naar bed gegaan, ze laat jullie allemaal hartelijk groeten,' zei hij mat.

'We moeten het ook niet te laat maken vanavond want we zijn allemaal moe,' zei zijn moeder. 'Je ziet er slecht uit, Maarten, je hebt nu ook zoveel aan je hoofd. Karel zei dat hij je graag wil helpen als hij iets voor je doen kan.'

'Dat is fijn,' zei hij met een dankbare knik naar zijn zwager die meegeluisterd had.

Later zei An: 'Ik heb erop gerekend dat Lizzy en jij hier zouden blijven slapen, maar ik neem nu aan dat je liever naar haar teruggaat.'

'Ja, ja, natuurlijk,' antwoordde hij verstrooid terwijl hij opstond. Ik moet nodig eens opstappen.'

Maar toen hij in de auto zat reed hij in de richting van zijn eigen flat. Waarom doe ik dit, vroeg hij zich af. Geef ik haar op nog voor ik haar verloren heb of vind ik het niet zo erg om haar te verliezen. Is ze me ineens minder waard dan vroeger? Hoe is dat in vredesnaam zo plotseling gekomen. Stoort het me dat ze misschien fotomodel wordt en door iedereen bekeken zal worden? Onzin toch, een vak is een vak, ik zal ruimer moeten leren denken. Misschien komt alles ook wel omdat ik nu onzegbaar moe en verdrietig ben. Ik heb niet alleen mijn vader verloren, maar ook mijn maatje en mijn collega en mijn baas. Ik kan op niemand meer terugvallen als er problemen zijn. En daarom heb ik Lizzy meer nodig dan ooit. Hij draaide zijn auto bij het volgende kruispunt en reed naar haar toe. Hij ging niet haar slaapkamer binnen, bang dat hij haar wakker zou maken en ze weer over haar nieuwe sprookje zou beginnen. Hij sloeg zijn bivak op in de woonkamer, op de bank kon hij goed de nacht doorbrengen. Morgen zou hij haar met een ontbijt verrassen. Als hij geslapen had zou hij de dingen weer in de juiste proporties zien.

Toen hij de volgende ochtend wakker werd, voelde hij zich veel beter. Hij sloop met zijn tas toiletspullen naar beneden, naar de timmerwerkplaats waar ook een douche bij was voor het personeel en ging daar douchen. Toen hij later met een uitgebreid ontbijt bij Lizzy in de slaapkamer kwam zat ze al te telefoneren, ze sprak Engels. Ze legde even haar hand op de hoorn toen ze hem zag en ze fluisterde hem toe dat Peter Müller aan de telefoon was. Hij zag aan haar schitterende ogen en het blosje op haar wangen dat die Peter met goed nieuws kwam. Hij zette het blad met het ontbijt voor hen beiden op het tafeltje naast haar bed en ging de kamer uit om haar ongestoord verder te laten praten.

Hij vouwde de plaid waaronder hij die nacht geslapen had op en legde de kussens weer op zijn plaats. Toen hij daarmee klaar was, haalde hij het pakje sigaretten dat hij al drie maanden bij zich droeg uit zijn broekzak, haalde er een sigaret uit, keek er even naar en stopte hem weer terug. Hij had precies drie maanden en drie dagen niet gerookt en zou dat nu ook niet doen. Hij viel op de bank neer. Toen kwam Lizzy binnen. Ze stotterde en verslikte zich bijna in haar woorden, terwijl ze verslag uitbracht van het telefoongesprek. 'Peter vraagt me of ik morgen naar Rome kan komen en dan reizen we daarna samen naar New York. Stel je voor Maarten, dan ben ik met Kerstmis in New York! Ik kan het niet vatten, het is zo onwerkelijk!'

'Dat begrijp ik best,' zei hij, 'het is een prachtige kans, waarschijnlijk de kans van je leven. Heb je al ja gezegd?'

'Ja, natuurlijk! Waarop zou ik moeten wachten? Op zoiets zeg je toch geen nee.'

'Nee,' zei hij, 'nee, natuurlijk niet. Weet je met wie je in zee gaat, is hij vertrouwd, die Peter Müller? Heb je referenties van hem?'

'Gijs Lodder kent hem al jaren. Hij heeft die foto's van mij van Gijs.'

'Ja, ja, dan is het goed,' zei hij vlug. Hij greep weer naar zijn sigaretten, kneep het pakje samen in zijn vuist en stak het toen weer terug.

'Ga mee,' zei ze toen: 'Peter wil je graag leren kennen. Het zou geweldig zijn als we samen naar Rome reisden en dan met Peter verder naar New York. Weer eens helemaal iets anders. Dat is voor jou ook goed. Je gaat nooit eens weg hier. En je bent nu eigen baas, je kunt toch doen en laten wat je wilt nu je vader er niet meer is?'

Hij glimlachte even en keek haar meewarig aan. 'Ik kan me minder veroorloven dan ooit,' zei hij. 'Alles komt nu op mij neer. Als ik weg wil, moet ik dat eerst met mijn mensen bespreken, terwijl ik vroeger op vader kon terugvallen. Hebben jij en die Peter eraan gedacht dat het overmorgen Kerstmis is? Wat moet je daar zo vroeg? Ze zullen de kerstdagen zeker niet werken.'

'We gaan natuurlijk New York bekijken, lijkt je dat niet interessant? Ik dacht dat je vrij was tot na nieuwjaar, langer hoef je toch niet te blijven.'

Hij zuchtte. 'Lizzy, er valt zoveel te regelen na vaders dood. Mijn zwager zal me er gelukkig bij helpen, daarvoor heb ik die dagen tussen Kerst en Nieuwjaar nodig. Bovendien staat mijn hoofd op het ogenblik niet naar New York met Kerstmis. Je wordt er omvergelopen door Kerstmannen of Sinterklazen of hoe ze mogen heten. Ik vier Kerst op een andere manier, dat weet je.'

'Dat doen we dan volgend jaar weer,' stribbelde ze tegen, maar ze voelde dat ze terrein verloor. Hij zou niet meegaan. 'Anders doe je altijd wel wat ik graag wil,' zei ze toen, 'en nu het zo belangrijk voor me is ineens niet.'

'We hebben op het ogenblik tegenstrijdige belangen,' zei hij, 'jij moet naar New York en mijn plaats is hier. Ik kan hier nu onmogelijk gemist worden maar jij zou wel een paar dagen later naar New York kunnen gaan, zo zie ik het tenminste.'

'Müller wil graag dat ik nu al kom, dat kan in mijn voordeel zijn.'

'Dat zou heel goed kunnen en daarom wil ik je er ook niet van afhouden, maar ik kan niet mee onder deze omstandigheden. Daarvoor moet je ook begrip hebben.'

Ze sloeg hem gade, hij zag er doodmoe uit, constateerde ze. 'Ik zou het liefst gewoon bij je blijven,' zei ze toen, 'maar dit is een ongelooflijke kans. Die krijg je maar eens in je leven.'

Hij knikte. 'Ik weet het,' zei hij, 'soms gaan de dingen nu eenmaal anders. Ik zal je morgen naar Schiphol brengen, maar je mag eerst wel informeren of je morgen weg kunt. Het is een drukke tijd met die feestdagen in het vooruitzicht.'

'Dat heeft hij allemaal al in orde gemaakt of liever zijn mensen in Amsterdam hebben dat gedaan. Ik kan mijn ticket afhalen aan de balie.'

'Je zult het waarschijnlijk wel moeten betalen,' veronderstelde hij.

'Hij heeft het betaald,' zei ze. 'Als ik wat ga verdienen,

krijg je alles terug wat ik van je heb geleend. Ik heb het allemaal bijgehouden.'

Hij knikte haar geruststellend toe. 'Dat verwacht ik niet van je, dat weet je wel, laten we er vandaag nog een fijne dag van maken. Wat zou je het liefst gaan doen?'

'Ik wilde eerst naar je moeder gaan, lijkt je dat niet het beste? Zullen we vragen of we bij haar koffie kunnen drinken?'

'Ze logeert nog bij An, ik zal haar bellen. Ze zal het erg op prijs stellen als we komen.'

Hij bracht haar de volgende dag naar Schiphol, toen ze de luchthaven naderden zei ze: 'Denk jij dat het een goed besluit is dat ik naar Amerika ga?'

Hij keek vlug van opzij naar haar, het was druk op de weg, hij zag in een flits dat haar ogen vol tranen stonden. Hij legde met een geruststellend gebaar zijn hand op de hare. 'Je moet dit als een poging zien, een besluit komt pas later. Geniet nu maar van alles wat je geboden wordt en pieker er vooral niet over of je het goed hebt gedaan of niet. Natuurlijk is het goed als je van een geboden kans gebruikmaakt. Ik ben erg benieuwd hoe je het ervan afbrengt,'

'Ik bel je natuurlijk direct als ik iets weet,' beloofde ze gretig. Hij ving haar dankbare blik. En hij dacht: als alles normaal was geweest was ik natuurlijk met haar meegegaan maar, nu kon dat echt niet en dat speet hem. Zo gingen ze toch nog met een innige omhelzing uit elkaar, hij voelde haar tranen tegen zijn wang. Hij veegde ze weg terwijl hij haar kuste. 'Zo droog ik je tranen,' zei hij liefkozend. 'Je moet nu niet meer huilen, denk aan je eerste fotosessie, je moet voor alles mooi blijven,' plaagde hij.

Ze protesteerde toen hij met haar meeliep naar de incheckbalie. 'Je krijgt een bekeuring,' zei ze bezorgd, 'je mag daar immers niet parkeren.'

'Nog een kusje,' zei hij, 'ik waag het erop, en bel me zodra je iets weet.'

Ik wil dat ze daar slaagt, dacht hij onderweg naar huis, het zou voor haar een ongelooflijke triomf betekenen. Goed, hij wilde trouwen, dat wel en hij wilde een gezin, kinderen. Dat zou even moeten wachten maar het zou misschien tussen de bedrijven door kunnen, er waren toch meer fotomodellen die trouwden en kinderen kregen. Het zou allemaal een kwestie van organisatie zijn. Jammer dat het huis aan de rivier niet te koop was, anders zou hij het toch gekocht hebben, ook al zou hij er krom voor moeten liggen, want het was niet goedkoop. Hij zag in gedachten hoe Lizzy zou stralen. Hij besloot haar in ieder geval te laten stralen, want er waren immers meer mooie huizen te koop. Hij voelde zich een stuk beter nu hij besloten had gewoon zijn plannen te verwezenlijken en dan maar te zien wat ervan kwam.

Het begon al wat donker te worden toen hij zijn flat naderde, hij dacht aan Ans gezellige huis waar de hele familie nu om de haard zou zitten. Wat moest hij eigenlijk in zijn eigen flat doen waar de verwarming niet eens brandde en waar geen enkel bloemetje stond. Hij draaide zijn auto en reed naar An.

Lizzy en hij hadden gisteren niets verteld over Lizzy's toekomstmogelijkheden. Ze zaten er allemaal wat beduusd bij toen hij zijn verhaal had gedaan.

'Dan komt ze wel in een heel andere wereld dan wij gewend zijn,' zei zijn moeder ten slotte, 'en ze is toch al niet gelovig.'

'Ze is wel gelovig,' zei Maarten met nadruk, 'alleen anders dan u en ik, maar niet minder.'

'Ja, ja, dat zeggen ze tegenwoordig allemaal,' zei zijn moeder zorgelijk. 'Fotomodel', mompelde ze, 'als ze maar niet helemaal bloot gaat,' het klonk wat onwerkelijk in deze huiselijke kring bij de brandende haard onder de verlichte kerstboom en de achtergrondmuziek met een plaat van Stille Nacht.

Riet begon ineens te lachen. 'Och mam,' zei ze, 'Lizzy is

zo dol op mooie kleren, dat zal ze heus niet doen. We zullen haar straks natuurlijk in week-en maandbladen in de mooiste creaties zien verschijnen.'

Maarten glimlachte haar bijna dankbaar toe. Hij dacht: ik hoop eigenlijk hetzelfde als moeder, ik hoop ook dat ze niet bloot gaat.

'Ik had het maar bij schilderen gehouden als ik haar was,' zei zijn moeder.

'Maar u bent Lizzy niet, mam,' zei An, 'ze is heel veelzijdig, ze fotografeert ook niet onverdienstelijk Als ze te oud wordt voor fotomodel kan ze zo op fotograferen en schilderen terugvallen. Wie kan dat zeggen?'

'En toch ben ik blij dat vader dit niet mee hoeft te maken,' zei zijn moeder triest.

Vader, dacht Maarten, hij had eens een stuk van een gesprek tussen zijn ouders afgeluisterd. Het ging over Lizzy. Zijn vader had toen toevallig ontdekt dat hij de huur voor de het appartement van Lizzy betaalde.

'Ze plukt hem kaal, Katrien,' had zijn vader gezegd, 'waar moet dat heen?'

'Ze is zijn keus,' had zijn moeder geantwoord, 'die moeten wij respecteren.'

Sindsdien had hij zich alleen nog maar vaster met Lizzy verbonden gevoeld en dat was na de uitspraken van zijn moeder nu weer het geval. Hij zou in alles achter haar blijven staan en als ze in dit vak werkelijk carrière zou kunnen maken, dan zou hij de nadelen die dat voor hem opleverde accepteren. Samen zouden ze een weg uit die problemen vinden. Er kwam ineens een idee in hem op, hij wierp een blik op zijn horloge, het was nog vroeg genoeg om het te proberen. Hij zou nu naar huis gaan om daar in alle rust te proberen het plan dat net bij hem was opgekomen te verwezenlijken. Hij stond op. 'Ik ga weer eens naar huis,' zei hij.

'Dat is heel verstandig, jongen,' zei zijn moeder, 'je ziet er erg moe uit. Het was lief van je dat je toch nog even bij ons bent gekomen. Ik hoop toch zo dat de familieband net zo zal blijven als toen vader er nog was.'

'Daar is geen twijfel aan, zou ik denken,' zei Maarten en dat werd door allemaal beaamd.

Thuisgekomen draaide hij eerst de verwarming hoger en schonk een glas cognac in, terwijl hij het glas aan zijn mond bracht, bedacht hij zich, zette het weer neer. Hij liep naar zijn slaapkamer en kleedde zich uit om even later in een warme kamerjas gehuld, een cadeau van Lizzy, op de bank in de kamer neer te ploffen. Hij bleef daar even zitten om zijn plan nog eens rustig te overdenken en toen greep hij naar zijn cognac, dronk hem langzaam op. Daarna tikte hij het nummer van Hendrika, het nummer was bezet. Toen hij voor de tweede keer intikte, duurde het even voor ze opnam. Hij begon de knopen van zijn ochtendjas al ongeduldig te tellen, ja nee ja nee, ze móést opnemen, want hij had Hendrika voor zijn plannen nodig. Als ze niet thuis was, zou hij niet weten waar hij haar bereiken kon.

Maar ze nam eindelijk toch op. 'Hendrika,' zei hij, 'ik kom je rust verstoren, je móét me helpen anders kan mijn plan niet doorgaan. Mijn vraag is: zou je de dagen na kerst tot laten we zeggen 3 januari vrij kunnen maken om mij hier te vertegenwoordigen als dat nodig mocht zijn. Officieel zijn we gesloten, maar je weet dat er altijd iets op de verzekeringsafdeling kan gebeuren waar haast bij is. Je weet hoe belangrijk dat soms kan zijn en ik vertrouw het niemand anders toe dan jou.'

Hij hoorde Hendrika lachen, ze had een lach die met een gorgelend geluid diep uit haar omvangrijke boezem kwam. 'Zal ik je eens wat vertellen,' grinnikte ze nog na, 'je moeder belde me net op en vertelde me het schokkende nieuws dat jouw Lizzy fotomodel wordt in NewYork. En dat ze zojuist is vertrokken en daarom weet ik bijna zeker waarom ik voor jou moet waarnemen, je doet het verstandigste wat je maar doen kunt, je gaat haar achterna! En natuurlijk ben ik voor je beschikbaar.'

'Je bent een engel,' verzuchtte hij, 'dat is tenminste in orde, nu moet ik alleen nog proberen een plaats in een vliegtuig te krijgen.'

'Dat zal ik wel voor je doen,' beloofde ze, 'ik heb daar immers goede contacten. Ik bel je als het me gelukt is. Trek je niet te veel aan van je moeders zorgen over jou en Lizzy, laat je plezier niet bederven. Die meid komt er wel, dat zul je eens zien.'

Toen hij de telefoon had neergelegd, schonk hij zich een tweede glas cognac in en nipte ervan, hij leunde achterover met zijn hoofd tegen de rug van de bank. Er kwam een weldadige rust over hem. Dat kwam ook omdat er iemand iets goeds van Lizzy had gezegd. Hij herinnerde zich ineens de woorden van zijn zuster Riet: 'Mam en Pap zullen over ieder meisje met wie jij thuiskomt hun bedenkingen hebben, ze kunnen hun enig zoontje moeilijk met iemand delen. Emma deugde ook al niet, weet je nog wel?'

Hij sloot zijn ogen, hij zag Emma voor zich, een lange elegante vrouw met donker haar tot over haar schouders. Ze wilde ook carrière maken en dat vond hij best, maar ze wilde geen kinderen en ze voelde niets voor een huwelijk, dingen waarover hij anders dacht. Ze waren als goede vrienden uit elkaar gegaan. Ze was inmiddels al aardig op weg een bekende advocate te worden. Heel vroeger was er nog een meisje geweest, zijn eerste. Of eigenlijk was het helemaal zijn meisje niet, zomaar een vriendinnetje Ze was nooit bij zijn ouders thuis geweest. Maar er waren dingen gebeurd die niemand wist en die hij iedere keer als hij eraan dacht, en dat was dikwijls, vergeten wilde. Hij wist dat het nooit zou lukken, zijn leven lang.

Toen pakte hij zijn mobieltje en tikte het nummer van Lizzy in.

2

Het was nu meer dan een jaar later, de dag na Pasen. Marieke reed van haar werk in het ziekenhuis naar huis, de sneeuw zoefde tegen haar voorruit. 'Om deze tijd van het jaar sneeuw, het kon niet erger,' mopperde ze in zichzelf. Ze had vanmorgen, toen ze van huis ging, de verwarming uit gelaten en had nu spijt, het zou daar koud zijn. Ze zette haar auto onder het afdak van de schuur en liep vlug naar het huis waar ze in het klompenhok voor de bijkeuken haar schoenen van sneeuw ontdeed en haar jas uittrok. Het was overal koud in huis, zoals ze verwacht had, maar dat kon nu eenmaal niet anders Ze zou eerst de haard aanmaken, er lag nog genoeg hout op de haardplaat om het vanavond, als Thea kwam, behoorlijk warm te hebben. Thea kwam praten over de nieuwe kamerhuurder, hij was al de vierde sinds vorig jaar januari. Door die vele huurders waren Thea en zij vriendinnen geworden, vandaar dat ze aan het zakelijke gesprek een avondje bijkletsen hadden toegevoegd. Huurders betaalden wel goed, maar ze bleven soms zo kort omdat ze dikwijls maar een kort dienstverband hadden. 'Hoe korter ze blijven, hoe meer ze voor die tijd betalen,' placht Thea te zeggen, maar dan kreeg ze weer leegstand en weg waren de vaste verdiensten. Dat alles terwijl de rekeningen zich opstapelden en de bodem van de schatkist in het zicht kwam. De waterleiding was afgekeurd toen ze laatst een lekkage had gehad. 'Mevrouw u heeft nog loden leidingen, dat mag niet meer. Hup de leidingen eruit en nieuwe erin. Ze wist dat de elektrische bedradingen ook afgekeurd zouden worden, als er ergens een mankement kwam. Maar de brief die ze voor de Paasdagen had gekregen, deed de deur dicht. De Onderlinge verzekeringsmaatschappij had haar het lidmaatschap opgezegd, ze moest haar rieten dak bij een andere verzekering onderbrengen, een voor particulieren. Ze had geen boerenbedrijf en haar huis had geen windmolen, het was maar een gewoon woonhuis en die konden niet bij hen verzekerd blijven. De vele telefoontjes hadden niets geholpen, ja, ze was inderdaad jarenlang bij hen verzekerd, maar nu kon het niet meer. Klaar en over. De nieuwe verzekering was vele malen duurder, een rieten dak verzekeren bleek verschrikkelijk kostbaar te zijn. Ze had het nooit geweten. Er zou nog wel veel meer komen wat ze nooit geweten had. Ze moest de boel verkopen, ze zou daar vanavond met Thea over spreken, ze was dat heel vast besloten.

'Wat spijtig,' zei Thea terwijl ze haar handen warmde bij de vlammen van het haardvuur en haar ogen door de kamer liet dwalen. Mariekes ogen dwaalden mee, o ja nu het hier warm werd en de open haard een intiem sfeertje verspreidde, was het weer wat het eigenlijk altijd was, de mooiste kamer van het allermooiste huis dat er bestond.

'Ik vind het ook spijtig,' zei ze, 'maar het kan niet meer, het wordt te duur voor me. Als ik dit huis verkoop, kan ik iets terugkopen wat ik behappen kan en dan heb ik rust. Ik kan door al dat gepieker over geld mijn werk niet meer behoorlijk doen. Opa was slim en handig, hem kostte alles minder dan de helft, hij had letterlijk overal relaties, maar hij had geen ander werk om handen zoals ik en dat scheelt natuurlijk ook. Dan kun je overal meer achteraanlopen. Iedereen benijdt me om dit huis, maar het is rijk en geen geld, als je begrijpt wat ik bedoel'

'Kind, ik snap het best, praat me niet van geld, het rolt naar alle hoeken en gaten. Ik geloof dat geen mens tegenwoordig meer weet waar het allemaal blijft. En natuurlijk gaan we voor jou iets heel leuks zoeken. Deze kast ben je zo kwijt. De baas is nog steeds zoekende, misschien wil hij het wel hebben, hij gaat eerstdaags trouwen'

'Nu pas?' vroeg Marieke verwonderd. 'Dat was hij vorig jaar ook al van plan, hij was hier om het huis te bekijken, hij wilde het toen wel kopen, maar ik wilde het niet kwijt. Hij heeft jou toen ingeschakeld om een huurder voor mijn kamers te vinden.'

Thea knikte. 'Ik herinner het me nog, het was na mijn zwangerschapsverlof mijn eerste bezigheid, een huurder voor jou zoeken. Ik zal Maarten morgen meteen vertellen dat je verkopen wilt. Ze zijn met een ander huis bezig, herinner ik me nu, maar zij vindt het niet groot genoeg, geloof ik. O nee, de ruimte waar ze later wil gaan schilderen ligt niet op het noorden en dat schijnt te moeten, dat was het. Ze heeft nogal wat noten op haar zang. Het is maar de vraag of dit haar aanstaat, dat moeten we natuurlijk afwachten. Ik snap het allemaal niet erg, van dat schilderen, bedoel ik. Ze is nu een veel gevraagd fotomodel, op zijn kamer staat een rek vol bladen met foto's van haar, uit alle landen Ze schijnt al heel bekend te zijn, wat moet ze dan nog met een atelier op het noorden om te schilderen, zou je zeggen.'

'Voor later, misschien,' opperde Marieke, 'je weet maar nooit hoever iemand vooruit denkt. De zolder van de schuur die opa wel verhuurde om schilderijen tentoon te stellen, als galerie met een groot woord, die ligt op het noorden en heeft grote ramen. Misschien is dat wat voor haar.'

'Ze moeten maar zien,' zei Thea, 'dit huis ben je in ieder geval zo kwijt.'

'En wat heb je voor mij in de aanbieding?' informeerde Marieke.

'Het hangt ervan af wat je zoekt, een appartement, een groot huis, een klein huis, in de stad, buiten de stad, er zijn zo veel mogelijkheden. Je hebt er misschien nog niet eens over nagedacht.'

'Daar heb je gelijk in,' gaf Marieke met een diepe zucht toe. 'Op het ogenblik denk ik alleen maar aan alle rekeningen die nog op komst zijn.'

'Maar het liefst zou je hier blijven wonen,' constateerde Thea, 'dat begrijp ik wel.'

'En dat kan niet zoals je weet en je moet nu eenmaal niet naar de maan verlangen, vind ik.'

'Met een leuke vriend was alles opgelost, gewoon iemand met een inkomen als het jouwe erbij en klaar was je. Als hij dan ook nog van tuinieren hield, zat je helemaal gebakken.' 'Een vriend heb ik ook allang afgeschreven,' somberde Marieke verder. 'Op mij valt altijd de verkeerde.'

'Misschien ben je te kritisch,' veronderstelde Thea, 'is die aardige collega van je op de Erasmuslaan nu echt niets voor je? Hij is weg van jou, als je dat maar weet. Waarom neem je niet de moeite om hem eens wat beter te leren kennen? Ik was van mijn Teun ook niet direct ondersteboven maar ik ben hem gaan waarderen. Nu hebben we het fijn samen. Vooral nu we Bruno hebben, een kind bindt zo ongelooflijk.'

Marieke schudde beslist haar hoofd. 'Ik wil Koen niet aardig gaan vinden,' zei ze, 'hij vindt dat er geen God bestaat. 'Als je een bladzijde in een boek over sterrenkunde hebt gelezen, dan weet je dat al,' beweert hij. Ik wil met zo iemand niet het leven door. Ik zei het je toch al, ik ontmoet altijd de verkeerde. De een wil niet trouwen en vrijblijvend samenwonen, de volgende wil geen kinderen en zo ga je maar door, er is altijd wat. Vroeger droomde ik ervan te trouwen en dan hier te blijven wonen en kinderen te hebben met wie we dan in het weekeinde samen in de kamer die over de rivier uitkijkt zouden zitten om spelletjes te doen. Daar zat ik vroeger dikwijls met opa en tante Marie, weet je, en dan droomde ik daarover. Maar nu is de tijd van dromen definitief voorbij. Ik heb uitgerekend dat ik zal interen als ik een hypotheek zou nemen. Mijn inkomen is niet groot genoeg om het huis en de tuin te onderhouden en de hypotheek te betalen. Die tuin vreet geld als je hem wilt bijhouden. Tot voor kort maaide de buurman mijn gras maar dat is afgelopen. Hij is oud en ziek en wordt niet meer beter, tenminste niet zo dat hij ooit nog wat voor me kan doen. Nu moet ik zelf maaien, maar ik moet eerst klemmen zetten om de mollen te vangen. Dat had ik eerder moeten doen, het maait nu veel moeilijker met al die molshopen.'

'Ja, ik begrijp het, je moet gewoon verkopen, daar heb je gelijk in,' haastte Thea zich te zeggen, toen ze zag hoe er een paar tranen langs Mariekes wangen rolden.

Marieke stond op. 'Ik ga wat te drinken halen,' zei ze met de rug van haar hand over haar ogen vegend, 'wat zal het zijn, rode of witte wijn?'

De volgende avond belde Koen op, die aardige jongen uit de Erasmuslaan, dacht ze, spottend aan Thea's woorden denkend toen ze zijn stem hoorde.

'Mag ik even langskomen?' viel hij met de deur in huis. 'Ik wil graag even met je praten.'

'Dat is goed,' antwoordde ze, zeker weer iets over het werk, dacht ze, dat gebeurde wel meer. Ze liep naar de keuken om voor koffie te zorgen. Hij belde al aan toen ze de kopjes en de kan op het blad zette. Ze liep met het blad in haar handen naar de voordeur om hem binnen te laten.

'Wat gezellig de koffie te ruiken als je binnenkomt,' zei hij. terwijl hij het blad van haar overnam. 'Laat mij dat voor je dragen,' zei hij hoffelijk. Ze lachte even. 'Nette jongen,' vond ze, 'zo goed opgevoed.'

'Ik zal het mijn ouders overbrengen,' zei hij, terwijl hij het blad op de lage tafel voor de haard zette. 'Zal ik het vuur opstoken? Het lijkt me wat aan het tanen,' en hij voegde meteen de daad bij het woord. Hij kuchte even toen hij tegenover haar ging zitten. 'Ik heb een paar dagen niet kunnen werken,' zei hij toen, 'ik heb een soort bronchitis die maar niet over wil gaan. Mijn ouders hebben, zoals je weet een klein appartementje in Zwitserland, de huisdokter lijkt het een goed idee daar een weekje heen te gaan om in de zon wat bij te komen. Zou je zin hebben om mee te gaan? Die vraag kwam ineens bij me op, toen hij dat voorstelde. Mijn broer en zijn meisje zijn er dan ook, je kent ze allebei, dus dat zou goed uitkomen. Ik heb het al met hen over je gehad, het lijkt hun heel gezellig.'

Ze staarde hem een ogenblik aan alsof hij van een andere

planeet kwam, maar toen zei ze meteen: 'Waarom eigenlijk niet? Het lijkt me een geweldig idee en ik baal net even van alles. Wat dat betreft komt het uitstekend uit, wanneer zal het moeten plaatsvinden? Ik moet natuurlijk die vrije dagen regelen, maar ik neem aan dat jij dat ook moet. Bovendien heb ik gisteren mijn huis in de verkoop gedaan, althans de voorbereidingen daarvoor getroffen. Dat moet ik natuurlijk ook nog afhandelen maar ik krijg de indruk dat ik daaraan niet veel hoef te doen. Daar is de makelaar tenslotte voor.'

'Je gaat hier weg?' vroeg hij verbaasd. 'Maar dat is plotseling. Heb je al iets nieuws op het oog?'

'Nee, ik denk dat ik een poosje iets huur en dan rustig ga uitkijken.'

'Geweldig,' zei hij, 'en trouwens ook geweldig dat je meegaat.' Ze zwegen even en nipten allebei aan hun koffie. Waar ben ik mee bezig, dacht Marieke, als hij maar niet gaat denken, dat ik... ja, weer echt iets voor haar. Natuurlijk verplichttte je je met zo'n vakantie tot niets, stel je voor!

'We moeten dus onze agenda's vergelijken,' zei hij, 'mijn broer en zijn vriendin kunnen zich aanpassen, zeiden ze. Och, wat heb ik er een zin in, ik ben al half beter als ik eraan denk.' Dat dat niet zo was hoorde ze aan zijn hoestbui die volgde.

Toen Marieke veertien dagen later haar koffer aan het pakken was om de volgende dag te vertrekken, kwam Thea buiten adem aanfietsen. 'Ik heb groot nieuws voor je,' zei ze toen ze nog nahijgend van het snelle fietsen in een stoel was neergeploft. 'Mijn hulp blijft extra langer om op onze zoon te passen want ik móést het je vertellen. Je huis is verkocht, je raadt nooit aan wie.'

'Ik zou het echt niet weten,' antwoordde Marieke onthutst, 'ik ken zo weinig mensen die ervoor in aanmerking komen.'

'Onze baas heeft het gekocht,' zei Thea toen, 'stel je voor, zomaar zonder dat Lizzy het gezien heeft.'

Marieke ging nu ook zitten en haalde haar schouders op. 'Nou ja,' zei ze, 'hij zal heus wel weten wat hij doet. En weg is weg.'

'Je hebt er spijt van,' constateerde Thea onthutst.

'Weg is weg,' zei ik al, 'maar het doet best even zeer. Ik heb hier mijn hele leven gewoond, maar ik kan het niet meer betalen. Dat is nu eenmaal zo. Kijk niet zo verschrikt zeg, ik heb het toch zelf gewild?'

'Tja…' zei Thea, 'dat is natuurlijk wel zo, maar toch…'

'Nu gaan we niet zeuren,' zei Marieke, 'dat helpt niet. Het kwam wat onverwacht voor me, dat is het hele verhaal. Ik had gedacht dat ik na mijn vakantie iets zou horen en vast niet eerder. Maar iedereen die een huis te koop aanbiedt en zo snel bediend wordt, zal blij zijn en dat ben ik ook. Je kunt de koek niet gelijktijdig opeten en bewaren.'

'Ik ga een heel mooi huis voor je zoeken,' zei Thea toen. 'Of een mooi appartement, wat je maar wilt. We zoeken net zolang tot we iets heel moois voor je hebben gevonden.'

'Dat is lief van je maar met kopen wil ik nog even wachten. Ik ga eerst iets huren, dat is er vast wel.'

'O stellig,' zei Thea terwijl ze haar aktetas tevoorschijn haalde, 'wil je nu het voorlopige koopcontract al tekenen of wil je daar liever mee wachten tot na je vakantie? Onze baas geeft je de vraagprijs, dus beter kan niet.'

'Laat ik maar meteen tekenen,' besloot Marieke, 'en dan wil ik er voorlopig niet meer aan denken.'

Thea keek peinzend voor zich uit, terwijl Marieke de papieren doorkeek. 'Wat een bofkont toch, die Lizzy,' zei ze, 'een mooie vent, die iedereen wel zou willen hebben, een carrière die klinkt als een klok en dan ook nog een huis als dit. Ze moet het allemaal niet óp kunnen van geluk, denk jij niet?'

Marieke schroefde haar vulpen los en ondertekende het contract. 'Dat zou best eens kunnen,' antwoordde ze droogjes, 'maar het voornaamste is toch dat je zelf iets hebt waarmee je blij bent Je hebt man en kind en van de rest zou je misschien alleen maar last hebben. Voor geluk heb je het allemaal echt niet nodig, in ieder geval.'

'Misschien niet,' zei Thea, 'als je verstandig bent, ben je met minder tevreden.'

Ze dacht, het lijkt erop dat Marieke ook verstandig aan het worden is. Ze gaat het in ieder geval met Koen proberen. Dat is voor haar al heel wat.

Toen Thea was vertrokken stond Marieke nog met het contract in haar hand. Thea is nog altijd verliefd op haar baas, dacht ze, lastig lijkt me dat. En als je zo dicht in zijn omgeving moet leven, zal het ook niet zo gauw overgaan. Altijd maar naar de maan verlangen is ook niet alles. Toen keek ze naar het papier in haar hand, het voorlopige koopcontract. Haar oog viel op de vetgedrukte regels waarmee tien procent van de totale koopsom die ze per direct op haar bankrekening zou krijgen, stond beschreven. Wat véél, ging het door haar heen en dat was nog maar een tiende van de hele som. Ze zou alle rekeningen kunnen betalen, ze zou er nooit meer wakker van hoeven liggen Voortaan rustig kunnen slapen, dat was ook een soort geluk. Ze huiverde even, het was weer kil in de kamer; het haardvuur was bijna uitgebrand. Als ze volgende week van haar uitstapje terugkwam, zou ze de centrale verwarming aandoen. Het kon er nu immers af! Ze legde nog een blok op het vuur en staarde naar de vlammetjes die langzaam om het stuk hout kropen. Ze moest niet vergeten Thea te zeggen dat er beslist een open haard in het huis moest zitten dat ze voor haar ging zoeken. Ze zou dan toch in de vlammen kunnen turen, dat was zo rustgevend en het zou het gemis van dit huis wat verzachten. Ze veegde een traan weg die zomaar op haar wang viel. 'Ik zit warempel te snotteren, ik lijk wel niet wijs,' zei ze hardop.

En toen ging de bel.

Misschien Koen, dacht ze, en mijn hoofd staat helemaal niet naar bezoek. Met tegenzin stond ze op om naar de deur te lopen.

Maar op de stoep stond Maarten van Tricht, haar koper, hij hield een enorme azalea in zijn linkerarm, terwijl hij zijn rechterhand naar haar uitstak.

'Ik kon het niet nalaten om je te komen bedanken, zei hij, 'en ik vond dat daar een bloemetje bij hoorde. Omdat Thea zei dat je op reis ging heb ik voor een plant gekozen, zij zal er in jouw afwezigheid voor zorgen, heeft ze beloofd. De bloemist zei dat hij over een week nog mooier is.'

'Wat geweldig,' zei ze beduusd, terwijl ze de plant van hem overnam, 'kom verder, ik heb net nog wat hout op het vuur gedaan. Wil je koffie of liever iets anders?'

Het werd koffie en dat kwam haar goed uit, want dan kon ze in de keuken haar gezicht wat bijwerken. Hij had gezien dat ze huilde, na een snelle blik op haar betraande ogen had hij zijn hoofd afgewend. Terwijl de koffie doorliep spoelde ze aan de kraan boven de gootsteen haar gezicht af en wreef het droog met de keukenhanddoek. Toen ze hem de koffie bracht keek hij haar niet aan, maar hij zei met een geforceerd opgewekte stem: 'En waar gaat de reis morgen naartoe?'

Ze vertelde het hem.

'Het zal er mooi zijn,' zei hij, 'in hoger gelegen gebied kun je ook nog skiën. Eigenlijk is het de mooiste tijd van het jaar daarvoor.'

Ze beaamde het en toen zei ze: 'Durfde je het zomaar aan om het huis te kopen zonder dat je verloofde het heeft gezien?'

Hij knikte bevestigend. 'Ik ken haar smaak,' zei hij, 'ze zal er heel blij mee zijn, maar ze zal er voorlopig geen tijd voor hebben. Zou je het heel erg vinden om hier zolang te blijven wonen? Om op het huis te passen, zal ik maar zeggen tot ze zover is dat ze er een bepaalde tijd voor uit kan trekken?'

Uitstel van executie, dacht ze, ze had het op haar lippen om het te zeggen maar ze hield het binnen. Hij had haar tranen al gezien, maar ze wilde er beslist niet met hem over praten hoe de verkoop haar aangreep. Het zou belachelijk zijn bij hem haar nood te klagen, hij de koper van haar dierbaarste bezit. Het ging hem niets aan dat het haar allemaal zo zeer deed. Dat was trouwens ook niet zakelijk. En daarom zei ze wat afgemeten. 'Als ik je daar een plezier mee kan doen, wil ik dat wel.'

'Geweldig, daar zal Lizzy ook erg blij mee zijn. Het zakelijke gedeelte werkt Thea natuurlijk met je af. Bij haar kun je ook terecht als er iets aan het huis of de tuin moet gebeuren. Alle kosten zijn vanzelfsprekend voortaan voor onze rekening.'

Hij stond op toen hij zijn koffie had opgedronken. 'Ik verdwijn maar gauw,' zei hij, 'de avond voor je op reis gaat zal je nog genoeg te doen hebben.' Bij de deur zei hij nog: 'Als Lizzy weer in het land is, zal ze het huis graag komen bezichtigen, ze zal er zich op verheugen.'

Ja, dat zal wel, dacht ze toen ze deur achter hem sloot. Ik ben een jaloerse kraai, wees ze zichzelf terecht, waarom verheug ik me niet over de geslaagde verkoop? Ik ben nu toch van veel ellende af?

Toen Maarten in zijn wagen wegreed, dacht hij, ik voel me of ik iets van haar gestolen heb in plaats van gekocht. Hij had Lizzy willen bellen om haar het grote nieuws van de aankoop te vertellen, om deze tijd zou ze bereikbaar zijn, er was geen kans op dat hij haar in haar nachtrust zou storen. Maar hij zou het uitstellen tot morgen, hij kon er nu beslist niet opgetogen over zijn. Hij schonk zich een glas whisky in toen hij thuiskwam en ging op de bank bij de open haard zitten. De haard staarde hem zonder vuur levenloos aan. In zijn pas verworven bezit had het vuur wel gebrand, er hing daar een sfeer van geborgenheid en dat zou straks allemaal van hen zijn. Het was eigenlijk al van hen. Zou je sfeer ook kunnen kopen? Zou het huis straks als dat meisje eruit was, niet helemaal anders zijn? Hij had niet de tijd om daar voor zichzelf een antwoord op te formuleren want de telefoon rinkelde, het was niet zijn mobiel maar de vaste telefoon van het huis, het kon om deze tijd eigenlijk niemand anders dan Lizzy zijn.

En het was Lizzy. 'Dag mijn lieve engel,' zei ze, 'ik moest even je stem horen. Heb je ook een fijne dag gehad? Heb je nog iets van het huis gehoord waarover je het laatst had? Die gedachte schoot ineens door mijn hoofd toen ik je aan de lijn kreeg. Zeker nog niet, hè? Die dingen duren allemaal zo lang.'

'Je zult het niet geloven' zei hij, 'maar ik kom er net vandaan, de koop is gesloten.'

'Je meent het niet!' gilde ze zo hard dat hij de hoorn van zijn hoofd moest houden om het trillen van zijn trommelvlies te vermijden. 'Ze heeft het dus toch verkocht en je dacht nog wel dat ze zich bedenken zou. O, Maarten dan gaan we trouwen, ik zal er direct met Peter Müller over praten en dan kunnen we een kind hebben. Peter weet al dat we dat willen, hij moet er met zijn planning natuurlijk rekening mee houden als ik in verwachting raak. Stel je voor, Maarten, ik in verwachting! Helemaal te gek. Alle bekende vrouwen krijgen op het ogenblik een kind, ik zal ook in alle kranten staan. Je zult zo trots op me zijn, Maarten. Ik denk dat ik er vannacht niet van slaap, zo blij ben ik.'

'Dat zou ik toch maar wel doen,' vond hij, 'iemand die zulke plannen heeft als jij moet goed slapen.'

'Je plaagt me,' kirde ze, 'je spot met me, weet je wel met wie je spreekt? Peter zei vandaag nog dat ik me als een van de bekendste topmodellen mag beschouwen.'

Hij lachte even. 'Als ik je straks nog maar in mijn armen durf te nemen,' zei hij.

'Wacht maar tot ik weer bij je ben,' dreigde ze, 'je moet

me gewoon met wat meer respect behandelen, weet je dat?'

'Ik houd van je,' zei hij, 'en ik verlang naar je, maar het zal nog wel even duren voor je komt, neem ik aan.'

Hij hoorde haar zuchten. 'Jammer genoeg,' antwoordde ze, 'maar ik ga er toch wel met Peter over praten.'

Toen het telefoongesprek afgelopen was, nipte hij weer aan zijn whisky. Hij constateerde dat hij zich nu duidelijk beter voelde dan daareven. Lizzy was heel bijzonder, dat was nu eenmaal zo. Ze had zich al heel jong voorgenomen beroemd te worden. Ze had dat met verschillende dingen geprobeerd, fotograferen, schilderen, hij meende zich te herinneren dat ze ook ooit een poging had gedaan met een modelijn. Dat ze voor al die dingen geen opleiding had, had haar nooit gedeerd. 'Ik ben een natuurtalent,' placht ze te zeggen, 'ik red het wel zonder opleiding.' Hij had er ook lang zijn twijfels over gehad of het wel zou lukken tussen hem en haar. Vergeleken met haar was hij maar een gewoon ouderwets mannetje dat graag wilde trouwen en een gezin wilde hebben. Het had er lang op geleken dat hij nooit de goede partner daarvoor zou vinden en dat er met Lizzy nooit iets van terecht zou komen, maar nu leek het erop dat alles hem plotseling in de schoot werd geworpen. Een huwelijk en in de toekomst ook nog een kind, dat ze zich plotseling zo zeer wenste. Wat wilde hij eigenlijk nog meer, hij had toch niets meer om naar te verlangen? Hij moest dat nare bijsmaakje dat er nu aan al die gebeurtenissen zou zitten, vergeten. Lizzy had alle moeite ervoor over om in haar omstandigheden een kind te krijgen omdat ze vond dat het haar aanzien nog zou verhogen, een topmodel met een kind! Hij moest daar niet zo zwaar aan tillen, hij kreeg wat hij al zo lang gewild had en hij stond er immers persoonlijk voor in dat het kind, als het er eenmaal was niets tekort zou komen. Hij dronk zijn glas leeg en stond op om naar bed te gaan. Eigenlijk zag zijn leven er nu helemaal anders uit door de aankoop van dat huis aan de dijk. Hij zag weer

Mariekes betraande ogen voor zich. Belachelijk om daar nu aan te denken, wat betekenden de tranen van een meisje dat hij nauwelijks kende? Hij had er dik voor betaald om aan haar bezit te komen. Punt, uit. Een bof dat ze daar wilde blijven wonen tot Lizzy tijd zou kunnen vrijmaken om over te komen. Thea zou de zakelijke kant voor hem regelen, hij had voorlopig niets met hun nieuwe bezit te maken.

Maar zijn rust duurde niet lang, twee weken later stond Lizzy ineens in zijn kantoor. Ze vloog hem om de hals en ze zei: 'Ik heb met Peter gepraat, hij was eerst niet omver te krijgen, maar toen kwam er ineens hulp van buitenaf, er werd een show uitgesteld door een plotseling sterfgeval en met veel passen en meten kon ik een week weg. Stel je voor, een hele week voor ons samen.' Ze liet hem los en sprong met kleine danspasjes zijn kantoor rond. 'We gaan natuurlijk direct naar het huis kijken, ik wil geen seconde van die week verliezen. Wat enig allemaal,' ze kwam weer naar hem toe, pakte zijn beide schouders en schudde hem lichtelijk. 'Ik kan je niet vertellen hoe blij ik ben,' zei ze, 'jij toch ook?'

'O ja,' zei hij, 'natuurlijk ben ik blij, schat. Laat me je eerst eens behoorlijk begroeten, ik heb nog niet eens de gelegenheid gehad je een kusje te geven.'

'We hebben daarvoor nu de hele week,' zei ze later toen ze zich uit zijn omhelzing had vrijgemaakt. 'Laten we gauw naar het huis gaan kijken, moet je een jas aan of kun je zo mee?'

'Liefje, ik kan helemaal niet mee, ik heb over een kwartier een heel belangrijke bespreking. Samen met Hendrika moet ik een collega die met zijn makelaardij wil stoppen, overhalen om die aan ons over te doen. Aan die bespreking zit om deze tijd van de dag natuurlijk ook een lunch vast. Ik neem aan dat je na die lange reis te moe bent om met ons de lunch te gebruiken. Ga eerst even bijslapen, dan kom ik na de lunch zo gauw mogelijk naar je toe en ben jij weer zo fris als een hoentje. Ik zal de vorige eigenares van ons huis vragen of ze ons in de namiddag ontvangen kan. Ze zal tegen die tijd wel thuis zijn van haar werk.'

'Nee, Maarten, dat doe ik niet, ik ga ook niet slapen, dat zou tijdverspilling zijn. Ik ben frisser dan welk hoentje ook, al heb ik vannacht geen oog dichtgedaan omdat ik aldoor maar aan het plannen maken was. Stel je voor, er moet zo veel gebeuren in korte tijd. We moeten ook voorbereidingen treffen voor ons huwelijk, morgen heb ik een gesprek met een zekere Van Hoogstede. Hij heeft verstand van huwelijken die veel belangstelling moeten trekken. We kunnen natuurlijk niet zomaar trouwen, hoe meer mensen we uitnodigen, hoe meer reclame we maken. Als ik met hem gesproken heb kan ik het allemaal wel aan hem overlaten, zegt Peter. We moeten dan ook meteen een datum voor het huwelijk vaststellen, Peter heeft er al contact met Van Hoogstede over gehad.'

'Je wilt zeggen dat zij bepalen wanneer ik ga trouwen?' onderbrak hij haar, hij keek op zijn horloge voor hij met een verbaasd gezicht weer in zijn stoel ging zitten. 'Lizzy dit kan je toch allemaal geen ernst zijn? We zoeken samen toch uit wanneer we gaan trouwen?'

Ze zuchtte, hij zag nu een trek van vermoeidheid op haar mooie gezichtje. 'Maarten,' zei ze, 'in mijn wereld kan dat niet, ik heb er ook niets over te zeggen, net zo min als jij. Ik ben al blij dat Peter mee wil werken om dit op korte termijn te laten gebeuren. Hij ziet natuurlijk wel in dat het een goede reclame is, anders zou hij zijn medewerking heus niet zo vlot gegeven hebben.'

Na een korte stilte zei hij: 'Dat neem ik allemaal aan, maar ik moet wel even aan het idee wennen. Ik heb nu nog maar vijf minuten, dan komt Hendrika met onze gast hier. Als jij het huis wilt bezichtigen kan dat, maar je zult er alleen naartoe moeten, want ik weet niet hoelang het gesprek

vanmiddag nog zal duren. Er hangt veel vanaf zoal~
verteld heb. Ik ben bang dat het bezoek aan het huis lat~
de middag pas mogelijk is, want Marieke Dalmeijer heeft
haar werk, ik weet niet hoe laat ze klaar is.'

'Maar het is toch ons huis, zij past er toch alleen maar op
en dan kan ik er toch altijd in als ik dat wil?'

'Ze woont er en je kunt niet zomaar bij haar binnendrin-
gen zonder voorkennis! Is het nu echt zo erg om een paar
uurtjes te wachten tot zij van haar werk thuiskomt?'

Hij zag dat de tranen haar in de ogen sprongen. Het was
hem van harte welkom dat Hendrika op dat moment binnenkwam.

'Ja, Lizzy kwam me verrassen, ze is onverwacht overge-
komen om ons huis te bekijken,' zei Maarten nadat Lizzy en
Hendrika elkaar hadden begroet. 'Ze zou het graag direct
bekijken, wil jij zo vriendelijk zijn Thea te vragen of zij deze
moeilijkheid even voor ons oplost? Ze kan mevrouw
Dalmijer het beste op haar werk bellen om op korte termijn
een afspraak te maken. Lizzy is namelijk erg aan tijd gebonden, vandaar dat ze alles zo gauw mogelijk geregeld wil zien
en...' hij werd onderbroken door de telefoon, die hij direct
opnam, het was Van Gelder, de makelaar met wie ze een
gesprek zouden hebben, hij zat op twintig kilometer afstand
in een file en zou daardoor later komen dan was afgesproken.

'Even een stagnatie,' zei hij tegen Hendrika zonder haar
te zeggen waar het gesprek over ging, 'wil jij Lizzy naar
Thea begeleiden en haar op de hoogte brengen van de stand
van zaken? Ik zie je graag zo gauw mogelijk terug er zijn
namelijk wat complicaties ontstaan.' Hij gaf Lizzy een
vluchtige kus en zei: 'Tot heel gauw dan.'

Toen beide dames de deur uit waren ging hij in zijn stoel
achter het bureau zitten met zijn beide ellebogen op het
tafelblad, hij sloeg zijn handen voor zijn ogen en zuchtte, hij
zegende op dat ogenblik de file die Van Gelder twintig kilo-

meter hiervandaan vasthield. Nu had hij even de tijd om na te denken.

Toen Hendrika vijf minuten later weer terug was, vond ze hem nog in dezelfde houding achter zijn bureau.

'Voel je je niet goed?' vroeg ze.

Hij keek op, schoof zijn stoel achteruit en zei: 'Nee, ik voel me prima. We hebben nog even de tijd voor Van Gelder komt, hij zit vast in een file en kan niet op tijd aanwezig zijn. Hij belde me net. Het komt me goed uit, want nu heb ik de tijd om alles wat ik net heb gehoord op een rijtje te zetten. Heeft Lizzy je verteld, dat ze hier als een wervelwind is binnengestormd om me te vertellen dat onze bruiloft in opdracht van haar baas vandaag al zo goed als geregeld is door een zekere meneer Van Hoogstede en dat hij bepaalt wanneer en waar en hoe ik ga trouwen? Lizzy zegt dat ze er zelf ook niets over te vertellen heeft en dat het nu eenmaal zo toegaat in haar wereld. Haar wereld! Je wordt er toch niet goed van?'

'Ze vertelde me inderdaad dat jullie gauw gaan trouwen,' zei Hendrika. 'Ik ben blij voor je, het is toch een lang gekoesterde wens van je.'

'Ja,' zei hij alleen.

'Het is natuurlijk niet leuk dat alles zo vlug moet, maar ik denk dat het nu eenmaal zo toegaat in die kringen. Je zult het op de koop toe moeten nemen.'

Hendrika had gelijk, dacht hij toen, zoals ze bijna altijd gelijk had. 'Dat is ook zo,' zei hij, 'het komt alleen op een ongelukkig tijdstip, nu we net met die overname van Van Gelders zaak bezig zijn.'

'Dat loopt allemaal vanzelf,' stelde Hendrika hem gerust, 'hij staat heel positief tegenover onze voorstellen, hij krijgt ook geen betere. Hij weet heel goed dat zijn zaak tijdens zijn ziekte verwaarloosd is door zijn personeel.'

'Ja. ja, we weten straks meer, laten we maar het beste hopen, het is een unieke kans,' zei hij vaag. Hij dacht, ik klets maar wat, ik ben er niet echt met mijn hoofd bij. Het is waar wat Hendrika zegt, ik moet dit van Lizzy allemaal op de koop toe nemen. Later, als ze met dit werk ophoudt en gaat schilderen, zullen we immers altijd bij elkaar kunnen zijn. Het zou natuurlijk geweldig zijn om straks met haar getrouwd te zijn. Wat kwam het er eigenlijk op aan hoe dat bewerkstelligd was?

3

Eline van Toor was door mevrouw Hoekstra, de moeder van haar vriendin Fleur, uitgenodigd om te blijven eten. Ze deed dat dikwijls op woensdag omdat ze wist dat Dorothea bij wie Eline in huis was, dan muziekles gaf buiten de stad en pas later thuiskwam.

'O, graag,' zei Eline in haar handen wrijvend, 'ik hoopte er deze keer echt een beetje op, want boven roken we uw heerlijke erwtensoep al.'

'Ik geef je voor Dorothea een bordje mee,' zei mevrouw, 'ik weet dat zij er ook zo van houdt.'

'U verwent ons schandalig, ik schaam me een beetje,' zei Eline en ze meende het.

'Kind jij verwent ons ook door met Fleur je huiswerk te maken, we zijn het er allemaal over eens dat ze aan jou haar betere rapportcijfers te danken heeft, nietwaar, Fleur?' wendde ze zich tot haar dochter.

'Tweehonderd procent zeker,' bevestigde Fleur prompt.

'Maar ze kan het ook heel goed alleen,' verzekerde Eline, 'Doro zegt dat ze alleen de moeite moet nemen om zich te concentreren en dat moet blijven doen tot ze met het huiswerk klaar is.'

'Daar kan ze best gelijk in hebben maar ik heb daarvoor wel een buitenboordmotor nodig en die ben jij,' zei Fleur eerlijk. 'En omdat ik beslist niet wil blijven zitten maak ik er een dankbaar gebruik van. Bovendien vind ik het ook razend gezellig. Dat komt er nog bij.'

'En zo zijn we allemaal blij en gelukkig,' mengde Frans, de oudere broer van Fleur, zich in het gesprek, 'behalve ik want ik zou, nu ik voor mijn kandidaats zit, ook best een hulpmotortje kunnen gebruiken. Nee mam, geen bijles van een ouwe knar, kom me daar niet mee aan, maar van een charmant motortje als Eline.'

'Complimenteus hoor,' zei Eline, terwijl ze tot haar ergernis voelde dat ze een kleur kreeg, 'het is maar goed dat jij zoveel ouder bent dan wij, want ik kan me niet voorstellen dat ik jou nog iets zou kunnen bijbrengen.'

'Je bent een wijs meisje voor jouw leeftijd,' grinnikte Frans en toen werd het gesprek onderbroken door de heer des huizes die binnenkwam.

'Ik zie dat we een gast hebben,' begroette hij Eline, 'en ik ruik erwtensoep, twee verrassingen in een klap. Je ziet er stralend uit, meisje? Thuis ook alles goed?'

'Prima, dank u,' antwoordde Eline ze moest ineens denken aan wat Doro laatst had gezegd: 'Ik ben zo blij dat je contact hebt met een gaaf gezinnetje, die komen maar zo zelden meer voor. Je kunt er een heleboel leren wat ik je niet kan bijbrengen.'

Later zou ze nog vaak aan deze woorden denken.

Zou het waar zijn, dacht ze, zou je echt kunnen leren van mensen die het 'goed' deden? Haar eigen moeder was bij haar vader weggegaan toen ze nog heel klein was. Ze was hertrouwd en met haar man naar Zuid-Afrika vertrokken. Ze had nooit meer iets van haar gehoord. Ze was met haar vader alleen gebleven en ze waren verhuisd van een heel groot huis met een immense tuin naar een rijtjeshuis in een rustige straat. Ze had later gedacht dat het vertrek van haar moeder veel te maken kon hebben gehad met de veranderde financiële situatie van haar vader. Hij had er nooit over gesproken. Ook niet, toen hij vlak na zijn eerste hersenbloeding gezegd had dat hij voor haar maatregelen had getroffen in het geval hij zou komen te overlijden. Hun huisarts en de notaris wisten alles van die maatregelen.

'Kan ik dan niet naar mammie in Zuid-Afrika?' had ze toen gevraagd.

Hij had even geaarzeld en toen zuchtend gezegd: 'Ik ben bang dat je daar niet welkom bent, kind. Haar man wenste destijds geen contact met je te hebben, ik denk niet dat hij daar inmiddels anders over denkt. Ik zou het voorlopig maar niet proberen. De dame bij wie je straks, als ik er niet meer ben, in huis komt zal heel goed voor je zorgen, daar ben ik van overtuigd. Ze is ons vroegere buurmeisje en ze heeft toen je klein was al op je gepast.'

Ze was ineens hard gaan huilen en ze had zich dicht tegen hem aangedrukt. 'U bent nog niet dood,' had ze gezegd, 'en als u weer ziek zou worden, kunt u ook weer beter worden. U gaat nog niet dood, pappa.'

'Och kind,' had hij gezegd en anders niets en ze hadden er nooit meer over gesproken. Maar hij had wel gezegd: 'Je moet op school goed je best doen, zodat je altijd kunt overgaan en vroeg aan een opleiding kunt beginnen. Ik ben niet rijk Eline. Als ik er niet meer ben, zal het krap voor je worden.'

Hij had daarna nog maar enkele weken geleefd, hij overleed aan een tweede hersenbloeding. Toen was Doro haar komen halen, dat was nu twee jaar geleden. Het eerste wat Eline had gedacht toen ze haar voor het eerst zag, was: ze lijkt zelf nog een meisje. Een oud meisje weliswaar. Ze was niet groot en heel slank, had halflang sluik donker haar, een bleek gezichtje met weemoedige bruine ogen, die maakten dat het leek of ze van binnen altijd om iets huilde. Ze had bij de begroeting haar armen om Eline heen geslagen en gezegd: 'Wat ben je groot geworden, je was nog heel klein toen je vroeger naast ons woonde, wat ben je mooi.'

Die woorden hadden Eline getroffen, alles bij elkaar had het gemaakt dat ze een beetje medelijden met Doro had en dat was zo gebleven. Daarom deed ze meestal alles wat Doro graag wilde, ook als ze het er zelf niet mee eens was. Wel had ze geleerd om dingen waar Doro op tegen was en die ze zelf per se wilde, stiekem door te zetten zonder dat Doro het merkte. Als ze toch door de mand viel, was Doro meestal zo slim om het met een veelbetekenend zwijgen aan haar voorbij te laten gaan. En dat maakte weer dat Eline haar zogenaamde overtredingen tot het uiterste beperkte. Zo hadden ze de afgelopen twee jaar in harmonie geleefd.

Direct na de maaltijd stapte Eline op om vóór Doro thuis te kunnen zijn. Frans bood aan haar te brengen, omdat ze haar handen op de fiets wat vol had met het pannetje soep voor Doro. 'Eigenlijk wel graag,' accepteerde ze de aangeboden hulp onmiddellijk, 'stel je eens voor dat ik met die verrukkelijke soep onderuitga.'

Voor haar huisdeur zei ze: 'Je kunt wel even binnenkomen, als je wilt. Doro vindt bezoek altijd gezellig. Ga maar ergens zitten, ik ga gauw voor Doro dekken, met kaarsen enzo. Dan smaakt alles nog lekkerder, weet je dat? Pappie zei altijd, je moet van alles in het leven een feestje zien te maken en dat probeer ik zo nu en dan. Doro is altijd moe als ze van deze les thuiskomt, wat gezelligheid kikkert haar vast wat op.'

Frans vertrok toen Doro kwam, ze nam blij verrast aan de gedekte tafel met brandende kaarsen plaats.

'Wat heb je mooi voor me gedekt,' zei ze, 'wat aardig van je.' Ze lichtte nieuwsgierig het deksel van de dekschaal waarin Eline de opgewarmde soep had gedaan. 'Erwtensoep!' zei ze verrast, 'en wat ruikt dat lekker.'

'Voor jou gekregen van mevrouw Hoekstra,' legde Eline uit, 'omdat je zo laat thuiskomt. Heel lekker, begin maar gauw.'

Doro schonk wat wijn in het glas dat Eline klaar had gezet. 'Ik voel me als in een duur hotel,' zei ze, 'en wat heb je mijn toetje leuk opgemaakt, kwark met aardbeien en een roze schuimpje erbovenop. Heeft je vader je dat allemaal geleerd? Van mij kun je het niet afgekeken hebben, want ik heb helemaal geen gevoel voor zulke dingen.'

Doro wist dat Eline het prettig vond over haar vader te praten. Dan is het net of hij er nog een beetje is, had ze eens verklaard.

'Pappie hield erg van gezelligheid,' zei ze, het klonk een beetje triest. 'En ik ook natuurlijk.'

'Je mist hem nog steeds erg, hè? En de gezelligheid ook,' ze vroeg dit terwijl ze zich over de tafel wat naar Eline over boog en haar met iets meewarigs en tegelijk iets schuldigs in haar blik aankeek. Als Doro zo keek kreeg ze altijd medelijden met haar.

'Waarom heb je me nu eigenlijk precies in huis genomen?' vroeg ze ineens. 'Eigenlijk heb ik je dat al meer gevraagd maar je hebt er nooit een echt antwoord op gegeven. Ik hoorde laatst mevrouw Hoekstra tegen een dame die bij haar op bezoek was zeggen: 'Dorothea is zelf nog zo jong, je snapt niet hoe ze zo'n verantwoordelijkheid op zich heeft durven nemen. Het gaat heel goed met die twee samen maar dat heeft ze tevoren ook niet kunnen weten.' Die andere dame zei toen: 'Ik heb gehoord dat de beide families in Kaapstad naast elkaar hebben gewoond. Misschien waren ze erg aan elkaar verknocht.' Is dat zo? Vroeger heeft pappie nooit over je gesproken, zie je.'

Ze zag dat Doro een kleur als vuur had gekregen. Ik… eh… heb hem toevallig nog eens ontmoet, een paar maanden voor hij stierf,' stotterde ze, 'ik trad toen op tijdens een koffieconcert bij jullie in de buurt. Na afloop hebben we wat gepraat. Hij had zijn eerste hersenbloeding toen al gehad en hij zei dat het weer kon gebeuren. Later hebben we elkaar nog eens ontmoet en toen vroeg hij me of ik jou in huis wilde nemen als hij er niet meer was. En toen heb ik gezegd dat ik dat wel wilde.'

'Wat aardig van je,' zei Eline terwijl ze peinzend naar Doro keek die nu het toetje naar zich toeschoof en het roze schuimpje met haar lepel op een andere aardbei legde. In een behoefte om haar iets aardigs te zeggen omdat ze daar zo ontredderd zat, zei ze: 'Ik vind het heel gezellig bij je. Ik hoop maar dat je er geen spijt van hebt. Nog maar twee jaartjes trouwens en dan kan ik mijn eindexamen hebben en dan kun jij weer doen waar je zin hebt. Als ik ga studeren ben je vrij.'

'Niet helemaal,' zei ze, 'je bent dan nog geen achttien, je moet eerst meerderjarig zijn als je helemaal zonder me wilt.' Ze zag er, als dat kon, nog ontredderder uit als zo-even. Eline greep, in een behoefte daar iets aan te doen, over de tafel heen naar haar hand.

'Ik wil je niet kwijt,' zei ze, 'ik vind je juist heel aardig om alles wat je voor me doet. Ik wil natuurlijk ooit vrij zijn, maar dat duurt nog zo lang. Ik zal echt maken dat je zo weinig mogelijk last van me hebt.'

Tot haar ontsteltenis zag ze dat ze met de woorden die ze als troost had bedoeld het tegenovergestelde bereikte, er vielen tranen over Doro's wangen, die ze probeerde weg te vegen met de hand waarin ze de dessertlepel hield. Er vloog een aardbei af die op het smetteloos witte dekservet terechtkwam. Ze legde de lepel naast haar bord en keek Eline door haar tranen heen aan. 'Ik maak me zorgen over je,' zei ze toen.

'Maar waarom dan toch? Alles loopt toch prima? Misschien ben je een beetje moe, je ziet zo bleek de laatste tijd, misschien doe je te veel en moet je mij meer laten doen. Ik zorg altijd dat de badkamer en de wc schoon zijn, maar ik kan ook best de keuken doen en als je een lijstje maakt voor alles wat er nodig is, kan ik ook de boodschappen doen.'

'Dat is het allemaal niet,' snikte Doro, 'samen redden we het best, daar gaat het niet om. Maar ik moet je een poosje alleen laten. Misschien wel veertien dagen en daarvoor ben je nog veel te jong. Maar ik weet niet hoe ik het moet oplossen. Ik moet geopereerd worden en dat kan ik niet uitstellen, er zit een knobbeltje in mijn borst.'

Ze beet op haar lip en zweeg even. 'Ik had het je eerst niet willen vertellen, maar ik moet wel. Hoe zou ik het anders moeten doen?'

Een knobbeltje, Eline wist maar al te goed wat dat kon betekenen, de moeder van een meisje uit haar klas was vorig jaar geopereeerd aan een knobbeltje, daarna nog eens en nog eens. Ze was twee maanden geleden overleden. Ze dacht aan pappies eerste hersenbloeding en aan wat er toen gevolgd was. Er kroop een machteloos verlammend gevoel bij haar omhoog. Dat gevoel begon in haar voeten, het was of ze zich vast moest houden om te blijven staan. Ze keek naar Doro die daar zat met haar hoofd in haar handen. Waar moest ze heen als Doro er niet meer was?

Doro richtte zich op en snoot haar neus. 'Ik ben verkeerd bezig,' zei ze, 'het kan allemaal heel onschuldig zijn en dan ben ik zo weer thuis. Ik had me niet zo moeten laten gaan. Ik vraag aan mevrouw Hoekstra of je daar zo lang in huis mag.'

Eline antwoordde niet direct, ze dacht na. Het hoefde immers niet fout te gaan. Er waren ook mensen die gewoon beter werden, ze vermande zich. 'Ik hoef hier niet weg. Toen pappie in het ziekenhuis lag was ik ook alleen thuis. Ik ging bij hem op bezoek en ik zorgde voor zijn schone pyjama's en alle andere dingen die hij nodig had en toen was ik meer dan twee jaar jonger. Je slaat me niet hoog aan, hoor. Natuurlijk ga ik al die dingen voor jou ook doen. Ik ben heus geen klein kind meer.'

Doro stond op en veegde haar tranen weg. 'Je hebt gelijk,' zei ze, 'het spijt me dat ik zo zwartgallig was. Het komt allemaal goed en natuurlijk kun je een poosje alleen in huis zijn. Ik zag het allemaal te somber in en dat spijt me. We komen hier samen best doorheen.'

Maar wat gezegd was, was gezegd, de jobstijding bleef hangen hoe opgewekt ze beiden ook probeerden te zijn. Kunstmatig opgewekt. Het voelde voor beiden als een verademing toen het eindelijk dinsdag was en Doro 's morgens om halfnegen met een taxi naar het ziekenhuis reed. Eline keek de auto na en zwaaide ten afscheid, ze voelde tranen achter haar ogen. Niet huilen, dacht ze, als ik daarmee begin, houd ik niet meer op. Ze vond het achteraf jammer dat ze toch niet mee naar het ziekenhuis was gegaan, maar Doro had er de voorkeur aan gegeven alleen te gaan.

'Ga jij nu maar naar school en kom vanavond even langs, dan verloopt alles zo normaal mogelijk. Ik word morgen al vroeg geopereerd. Vergeet vooral niet je huiswerk te maken,' had ze gezegd. Doro bemoeide zich nooit met haar huiswerk, ze zei het maar om iets te zeggen omdat de leegte van de stilte anders zo groot was.

De tijd die volgde leek op de dagen van weleer, toen pappie in het ziekenhuis lag: boodschappen doen, wasje verzorgen, iedere avond op het vastgestelde uur naar het ziekenhuis. Iedere dag hetzelfde ritueel, eten gebeurde meestal staande in de keuken, voor het aanrecht.

Mevrouw Hoekstra belde iedere avond op om te vragen hoe het met Doro ging, die liever geen bezoek had. In het begin had ze Eline uitgenodigd om bij hen te komen eten, maar Eline had er beleefd voor bedankt.

'U weet hoe graag ik anders uw uitnodigingen aanneem, maar nu gaat het echt niet,' had ze gezegd, 'ik kom gewoon tijd tekort.'

Mevrouw Hoekstra had gezegd dat ze het volkomen begreep en had gevraagd of ze af en toe mocht bellen en Eline had gezegd dat ze daar heel blij mee zou zijn.

Volgens de artsen verliep met Doro alles naar wens. Ze kwam na veertien dagen thuis. Ze zag er slecht uit en dat verbeterde niet door de chemotherapie die volgde. Maar de artsen waren tevreden en dat gaf de moed die ze allebei zo goed konden gebruiken.

Na drie maanden was Doro weer aan het werk en voor het oog leek alles normaal. Het verschil was dat Eline nu meer in de huishouding deed dan vroeger. Doro liet het toe omdat het niet anders kon, ze had er de kracht niet meer voor om naast haar werk nog iets anders te doen. Haar werk was belangrijk, ze had het geld dat Eline van haar pappie had gekregen nog nooit aangeroerd. Dat wilde ze zo houden maar dan moest ze wel alle zeilen bijzetten. Als zij er eens niet meer was, en aan die mogelijkheid dacht ze na haar ziekte dikwijls, zou Eline van haar vaders geld elke cent hard nodig hebben.

Het leek erop dat er iets niet goed was bij het laatste onderzoek in het ziekenhuis.

'Uw huisdokter komt er deze week met u over praten,' hadden ze haar bij het laatste bezoek gezegd. Vanmiddag kwam de huisarts, ze had er een les voor af moeten zeggen. Ik ben niet eens nerveus, dacht ze. Kwam dat omdat ze al een poosje bijna zeker wist dat er iets niet goed was? Soms zag je aan een gezichtsuitdrukking meer dan woorden konden vertellen. Dat was eergisteren bij de specialist het geval geweest.

'Jammer,' begon dokter Kanters, toen hij in een stoel tegenover haar had plaatsgenomen, 'we dachten dat het goed zou blijven gaan, maar nu willen ze die andere kant ook gaan bekijken. Ze hadden je dat zelf kunnen vertellen, maar ze wilden dat ik eens met je kwam praten. In huiselijke kring gaan zulke dingen soms gemakkelijker. Dokter Maasdijk kreeg de indruk dat je buiten je ziekte nog andere zorgen hebt. Als dat zo is, kunnen we misschien een oplossing vinden. Wordt het je niet te veel om Eline in huis te hebben? Je bent eigenlijk nog een beetje te jong om helemaal alleen voor een meisje van die leeftijd te zorgen. Zolang je gezond bent gaat zoiets wel, maar nu er weer een haar in de boter komt, wordt dat moeilijker. Kan Eline zolang het je niet zo goed gaat misschien ergens anders naartoe?'

Hij schrok een beetje van de plotselinge huilbui waarin ze uitbarstte.

'Nee, nee, 'snikte ze, 'ik laat haar niet van me afnemen. Nu ik haar eenmaal heb, wil ik haar houden zolang ik kan, zolang ik er ben, hoort u dat? Hoort u dat goed? Het zal me geen tweede keer gebeuren dat ze haar van me afnemen.'

Ze bleef hysterisch snikken en jammeren. 'Niet nog eens, niet nog eens,' herhaalde ze maar steeds.

Kanters liet haar enkele ogenblikken begaan, toen boog hij zich uit zijn stoel naar haar over, raakte even haar schouder aan. 'Ik maak hieruit op dat je een nauwe relatie met haar hebt, is ze...is ze je dochter,' vroeg hij toen voorzichtig hoewel hij het maar half geloven kon.

Hij zag hoe ze zich rechtte en met de rug van haar hand haar tranen wegveegde. 'Ja,' zei ze toen en ze keek hem vernietigend aan, 'ze is mijn kind en als u dat ooit aan iemand durft te vertellen, vermoord ik u. Ik wil niet dat ze het weet. Ze vereert haar overleden adoptiefvader en hij heeft haar tot een prachtig mens opgevoed, wat ik hem nooit had kunnen verbeteren, Als zij hoort dat hij niet haar vader is, kunnen er ongelukken gebeuren. Haar eigen vader heeft ze absoluut niet nodig, hij weet niet van haar bestaan. Hij heeft me destijds geld gegeven voor een abortus, we dachten allebei dat dat de beste oplossing was. Maar toen ik ervoor stond, wilde ik het ineens niet meer. Ik kon het eenvoudig niet. Als ik nu soms stil naar haar zit te kijken, moet ik eraan denken dat ik zoiets liefs bijna dood heb gemaakt. Ik ben, toen ze geboren moest worden, naar mijn ouders gegaan die toen allebei nog leefden. Ze hebben me geweldig geholpen. Ze woonden naast een echtpaar zonder kinderen dat graag een kind wilde adopteren. Ik heb me toen door mijn ouders laten overhalen Eline weg te geven, maar ik heb er altijd spijt van gehad. Haar adoptiefouders zijn later gescheiden, hij heeft Eline gehouden. Later, toen hij ernstig ziek was, heeft hij mij gevraagd voor haar te zorgen. Ik ben nog nooit zo gelukkig geweest als deze tijd met haar. Ze is als een geschenk uit de hemel. Maar waarom moet ik nu weer ziek worden? Als ik hier doorheen kom, zal het waarschijnlijk weer gebeuren en weer. Waarom moet ik jong sterven, terwijl andere mensen stokoud worden? Mensen die niets meer om handen hebben blijven leven en ik ga dood en moet Eline alleen laten. Is dat een straf van God, omdat Eline er eigenlijk niet had mogen zijn of is het maar gewoon oneerlijk?'

Hij gaf geen antwoord op haar vraag omdat hij dat antwoord niet wist, maar hij stelde een tegenvraag. 'Als je dan niet wilt dat Eline met haar biologische vader contact krijgt, wat moet er dan met haar gebeuren in het geval dat jij er eens niet meer zou zijn om voor haar te zorgen? Daarover zul je toch wel hebben nagedacht, neem ik aan. Ze kan hier in dit huis niet alleen blijven, daarvoor is ze nog te jong. Dat zal nooit toegestaan worden.'

'Voor ik een halfjaar geleden naar het ziekenhuis ging heb ik dat in orde gemaakt. Er is altijd een plaats voor haar in een internaat hier niet ver vandaan. Ze kan gewoon op school blijven en heen en weerreizen, er is een goede busverbinding. Haar adoptiefvader heeft destijds, toen ze bij mij kwam, dat contact al gelegd voor het geval dat bij mij wonen geen succes zou worden. Hij dacht altijd overal aan. Ze kan daar blijven tot na haar eindexamen. Dan kan ze gaan studeren, ze zal er een baantje bij moeten zoeken, maar dat weet ze. Er is niet veel geld, dat weet ze ook. Ze heeft er geen moeite mee. Alles wat haar pappie voor haar heeft geregeld vindt ze oké. Gelukkig wel.'

'Weet ze dat dus allemaal al?' vroeg hij.

'Nog niet, er was immers nog kans dat ik beter zou worden en dan had ze het niet hoeven weten. Maar als ik nu weer naar het ziekenhuis moet, zal ik het met haar bespreken. U komt me toch vertellen dat ik weer geopereerd moet worden, nietwaar?'

Hij knikte bevestigend. 'Ik kom nog wel bij je als je in het ziekenhuis bent, dan praten we verder. Ik wens je het beste en ik ben er altijd voor jullie, vergeet dat nooit.'

Elines klas had die middag het laatste uur plotseling vrij door ziekte van de lerares Grieks. Ze had Fleurs voorstel met haar mee te gaan afgeslagen. Ze fietste vlug naar huis, ze kon mooi de was even doen nu de bedden vanmorgen verschoond waren. Dan was alles vanavond klaar en had Doro er zelf geen omkijken meer naar. Ze had gemerkt dat Doro de laatste tijd tegen alles opzag en daarom probeerde ze haar zo veel mogelijk uit de hand te nemen, dit vrije uurtje was een meevallertje.

Bij hun huis aangekomen zag ze Doro's auto in de carport staan, het bevreemdde haar omdat ze zeker meende te weten dat ze een muziekles buitenshuis had. Maar misschien had ze afgezegd omdat ze moe was, dat was al eens eerder gebeurd. Ze was toen naar bed gegaan, dat zou ze nu ook wel gedaan hebben. Ze ging heel zachtjes te werk om haar niet te storen. Ze sloop naar de deur die naar de gang leidde, er kwamen haar uit de huiskamer die openstond stemmen tegemoet, ze herkende de stem van hun huisarts dokter Kanters die door Doro onderbroken werd met een jammerend huilgeluid.

'Nee, nee, ik laat haar niet van me afnemen nu ik haar hier heb,' hoorde ze haar snikken. En daarna volgde ze het hele gesprek dat Doro met dokter Kanters had. Ze stond als aan de grond genageld en luisterde met gebalde vuisten naar wat volgde. Doro was haar moeder, pappie was helemaal haar vader niet. Haar vader was een andere man, een man die aan Doro geld had gegeven om zijn kind weg te laten halen, haar vader had haar willen laten vermoorden. Ze hoorde hoe Kanters vervolgens zijn vertrek aankondigde en haar beloofde haar in het ziekenhuis te bezoeken. Ze zocht als een kat in het nauw een mogelijkheid om ongezien weg te komen. Ze wilde Kanters niet ontmoeten en niemand mocht weten dat ze dit gesprek had afgeluisterd. Ze moest nadenken over wat ze gehoord had. Naar buiten kon ze niet, daar zou Kanters haar zien, ze koos voor de weg naar boven en sloop de trap op. In haar kamer viel ze op haar bed neer en staarde wezenloos voor zich uit.

Ze werd opgeschrikt door de voetstappen van Doro, ze kwam de trap op en ging haar slaapkamer binnen. Toen ze de deur achter zich gesloten had, slaakte Eline een zucht van

51

verlichting. Ze kon nu immers de trap afsluipen en naar de bijkeuken gaan om de was te doen zoals ze van plan was. Later leek het haar of ze uren op haar bed had gezeten voor ze Doro naar boven hoorde komen, maar ze keek op haar horloge en ontdekte dat het nauwelijks tien minuten waren geweest. In die tijd was haar hele leven aan haar voorbijgetrokken: de tijd dat ze nog klein was en mammie nog voor haar zorgde en pappie de hele dag naar zijn werk was. Mammie, die op een zeker moment verdwenen was om met oom Richard te trouwen. Ze hadden samen een dochter gekregen, ze had altijd in de mening verkeerd dat ze een halfzuster had maar mammies dochter was helemaal niets van haar. Pappie was zomaar een lieve man, maar helemaal haar vader niet en Doro was zijn buurmeisje geweest, ongeveer het enige wat op waarheid berustte, al het andere was gelogen. Leugens en nog eens leugens. Dat ze geloofd had dat Doro haar zomaar belangeloos in huis had genomen! Iedereen had het vreemd gevonden, maar zij had er nooit iets achter gezocht. Want pappie had dit in orde gemaakt, pappie die ze onvoorwaardelijk had vertrouwd en geloofd. Ze maakte de balans op, terwijl ze de lakens en de slopen in de machine stopte en het juiste wasprogramma zocht. Ze wist nu wie haar moeder was, maar wist niets van de onbekende vader. Doro wilde zijn naam niet prijsgeven, Doro was koppig, als ze iets niet wilde gebeurde dat ook niet. In zoverre had ze haar leren kennen. Maar zij zou er toch achterkomen wie haar vader was, en waar hij woonde en dan zou ze ervoor zorgen dat hij gestraft werd voor wat hij Doro en haar had aangedaan. Via 'mammie', ze zette het woord nu in gedachten tussen aanhalingstekens, zou ze erachter kunnen komen wie hij was en waar hij woonde. En dan zou ze hem een ellendig leven bezorgen. Hoe, dat wist ze nog niet, maar ze wilde hem laten lijden zoals Doro geleden had. Iedereen vond Doro teer en kwetsbaar, zo zou ze vroeger ook al zijn geweest, dat kon niet anders. En toch had haar vader haar zomaar in de steek gelaten en haar geld gegeven om haar, zijn kind, te laten vermoorden. Doro...ze had in alle opzichten haar leven aan Doro te danken en niet aan haar vader. Doro leek ook zo weinig zelfstandig en zwak in de ogen van anderen. Frans Hoekstra, Fleurs broer, had haar eens een 'een lief trulleke' genoemd. Niet in een woordenboek te vinden, had hij gezegd, maar zo komt ze bij me over. Iemand die je het gevoel geeft dat ze hulp nodig heeft en die je haar ook beslist moet geven.

Doro, mijn moeder, dacht ze weer. Mijn moeder, mijn moeder. Het was bijna niet te geloven. Zoiets las je in de krant of in een boek, zoiets gebeurde bij anderen maar niet bij jezelf.

4

Marieke werd in het ziekenhuis gebeld door Thea. 'Ik zit in de grootste problemen,' begon ze, 'en alleen jij kunt me helpen. Lizzy is hier plotseling uit New York komen aanwaaien, ze gaan binnenkort trouwen, volgende week al, als ik het goed begrepen heb. Nu wil ze op staande voet het huis zien, maar de baas zegt dat ik jou daar eerst toestemming voor moet vragen. Zeg alsjeblieft dat je het goedvindt want ik voel dat ze op het punt staat hysterisch te worden als ze niet onmiddellijk naar binnen mag.'

Marieke wierp en blik op haar horloge. 'Mijn volgende patiënt heeft afgezegd, dat komt dus goed uit. Ik ben hier over vijf minuten klaar. Ga jij maar vast met haar naar binnen. Ik zie je zo. Gerustgesteld?'

'Je bent een engel,' prees Thea met een zucht, 'tot straks.'

Nu zal het dus gebeuren, dacht Marieke, nu zal ik een ander onderdak moeten vinden. Misschien wel goed dat het eindelijk zover was, ze keek nu iedere ochtend als ze was opgestaan het huis rond met het idee dat ze hier eerstdaags weg zou moeten, als ze eenmaal ergens anders woonde was het een voldongen feit, dan zou ze er snel aan wennen dat de tijd in haar ouderlijk huis achter haar lag.

Toen ze naar het dijkhuis reed om de nieuwe eigenaars daar te ontvangen, voelde ze zich ongekend rustig. Ze was er immers op voorbereid dat dit eerstdaags zou gebeuren? Ze zou er voorlopig niets van tegen Koen zeggen. Hij zou er dan met klem op aan gaan dringen dat ze bij hem kwam wonen. Ze was nog lang niet aan samenwonen toe. Ze gingen nu al geruime tijd met elkaar om, maar ze was er nog altijd niet toe besloten met hem te trouwen. Ze wist zelfs niet of ze wel echt verliefd op hem was, hoewel ze het prettig vond in zijn armen te zijn en door hem gekust te worden. Het was oergezellig om samen met hem uit eten te gaan of samen bij haar of hem thuis een maaltijd klaar te maken. Hij had als het ware kleur aan haar leven gegeven, maar hij wist dat alles van haar kant vrijblijvend was. En hij wist ook waarom. Hij had een tijdje zijn best gedaan om het haar naar de zin te maken, zich aan te passen. Maar toen hij zich laatst bij het in de muur slaan van een spijker zo op zijn vingers sloeg dat het bloed eruit spatte, was hij, terwijl hij van pijn de kamer rondsprong, in een stortvloed van vloeken uitgebarsten.

'God zal me kraken,' had hij geroepen en daarna een paar stevige vloeken erachteraan.

Ze was tegen hem uitgevallen. 'Ik begrijp best dat je pijn hebt, maar zulke woorden wil ik nooit meer van je horen. God moest maar eens doen wat je daar vroeg, dan zou je raar staan te kijken.'

Toen was ze naar de badkamer gelopen om de verbandtrommel te halen. Terwijl ze zijn bloedende vingers verbond zei hij verontschuldigend: 'Sorry van daareven, het ontsnapte me gewoon, ik had ook zo'n verschrikkelijke pijn.'

'Ik begrijp het,' zei ze, 'maar denk er voortaan aan.' Hij was die volgende zondag met haar mee naar de kerk gegaan, iets wat nog nooit was voorgekomen. Hij was duidelijk van goede wil maar in plaats van dat het haar roerde dat hij zo zijn best deed om het haar naar de zin te maken, ontdekte ze dat het haar een beetje tegenstond. Ze schudde geërgerd het hoofd, ze moest er niet zo veel aan denken.

Ze was inmiddels bij het dijkhuis aangekomen, Thea en Lizzy stonden voor het huis de tuin te bekijken. Ze zag Lizzy voor het eerst en herkende haar van de covers van tijdschriften.

'Ik ben Lizzy,' zei ze terwijl ze met uitgestoken hand naar Marieke toekwam, 'wat fijn dat u tijd voor me vrij kon maken.'

'Dat doe ik graag. Zeg maar Marieke, dat praat gemakkelijker.'

'En ik ben natuurlijk Lizzy.'

Ze ontdekte dat Lizzy aardig was en heel gewoon. Ze was

enthousiast over het huis en de bijbehorende gebouwen en prees alles in alle toonaarden.

Toen ze later in de kamer die uitkeek over de rivier zaten thee te drinken die Thea voor hen gezet had zei Lizzy met iets smachtends in haar stem: 'Het liefst zou ik hier meteen gaan wonen om bij de verbouwing en de renovatie te kunnen blijven, maar dat kan niet. Dat zal nog heel lang niet kunnen, vrees ik. Misschien als ik in verwachting raakte dat ze me dan een paar maanden vrij zouden willen geven maar zover is het nog niet. Jij wilt hier toch wel zo lang blijven wonen, hoop ik?'

Marieke knikte bevestigend. 'Ik heb Maarten toegezegd dat ik hier zo lang blijf als nodig is en dat doe ik ook,' zei ze.

'Dat is een grote geruststelling voor ons. Ik ben blij dat ik het huis nu eens helemaal gezien heb, nu kan ik er fijn over denken hoe het later allemaal worden zal als we hier wonen. In de loop van de volgende week of de week daarop, dat weet ik nog niet precies, gaan we trouwen. En ik moest nu het huis zien, om te kijken of we het nog op de een of andere manier voor de bruiloft konden gebruiken. Maar daar zie ik toch vanaf, ik wil ons huis liever helemaal privé houden, zo helemaal voor onszelf, dat vind ik ook intiemer, zie je. Ons hele leven ligt toch al op straat, daaraan hoef ik zelf niet mee te werken.'

Toen ze later met Thea wegreed, wuifde Marieke hen na aan het tuinhek. Uitstel van executie dus, dacht ze, ik hoef hier nog niet weg. Eigenlijk wel heel prettig, als Koen weer over bij hem intrekken begon, kon ze zeggen dat ze de verplichting op zich had genomen om hier te blijven wonen tot de nieuwe eigenaar er zelf introk. We zouden elkaar zo veel beter kunnen leren kennen was zijn argument voor het samenwonen. Hij zou misschien nog voorstellen bij haar in het dijkhuis te komen wonen, maar dat zou ze onder geen voorwaarde willen. Ze zou zeggen dat het huis haar eigendom niet meer was en dat het daarom niet kon. Het huis zag er veel beter uit dan vroeger vanbuiten en vanbinnen. Maarten stuurde twee keer per week een tuinman die de buitenboel bijhield, in het huis waren alle reparaties verricht die nodig waren en die ze had uitgesteld, omdat ze er geen geld voor had. De afgekeurde waterleiding en het verouderde elektriciteitsnet waren vernieuwd. Omdat dat nogal wat schade aan het behang en het plafond had aangericht was er opnieuw gewit en behangen. Het hele huis zag er daardoor keurig uit. Maar Lizzy zou straks naar hartenlust gaan verbouwen, ze droomde er zelfs van. Ze had er vrede mee, hoe minder of het huis eruitzag zoals het altijd was geweest, hoe liever het haar was. Ze zou er minder hartzeer over hebben.

Ze werd in haar mijmeringen gestoord door de auto die voor het tuinhek stopte, het was Koen die uitstapte. 'Schrik maar niet,' begon hij, 'want ik ben zo weer weg. Ik ben onderweg naar een patiënt en ik zag in het voorbijrijden jou staan, ik wilde je vanavond bellen maar nu ik je toch tref kan ik het net zo goed nu vragen. Mijn boot komt zaterdag in het water en ik wilde er een tocht mee maken. Willem en Carmen zijn ook van de partij, ze vroegen het en omdat ik weet dat je mijn broer en zijn vriendin nogal mag heb ik toegestemd, nu hoop ik maar dat jij ook mee wilt. Dat is voor mij de hoofdzaak natuurlijk. Ik ben erg laat met mijn voorstel maar dat komt omdat de boot eerder in het water kon dan ik had verwacht. Zou je er tijd voor kunnen maken of heb je al een andere afspraak?'

'Ik hoef er geen tijd voor te maken, want ik heb geen andere afspraak en ik heb er erg veel zin in,' zei ze meteen en ze meende het. 'Het fijne is vooral dat Willem en Carmen meegaan, dan kunnen zij jou assisteren en ik kan heerlijk toekijken. Je weet dat ik een angsthaas op het water ben en dat ik van zeilen geen flauwe notie heb.'

'Dat hoeft ook niet,' zei hij met een stralend gezicht, 'voor mij is het belangrijkste dat je er bent.'

Dat was het leuke van haar vriendschap met Koen, dacht

ze later, hij zat vol plannen en kwam altijd met voorstellen. Een nadeel van hem was dat hij tegenover de buitenwereld deed of ze een paar waren. Ze had eens gezegd dat ze dat niet prettig vond, maar hij trok er zich weinig van aan.

Ze besloot die avond vroeg naar bed te gaan en maakte tegen tienen aanstalten naar boven te gaan. Halverwege de trap ging de telefoon, het was Thea die belde.

Haar stem klonk opgewonden en huilerig, ze struikelde over haar woorden. 'Ja, met Thea...ja, het is al laat, ik weet het maar er is iets verschrikkelijks gebeurd en ik moet er met iemand over praten. Ik moet gewoon...mag ik even bij je komen?'

'Is er iets met Bruno?'

'O, nee, dat gelukkig niet, nog niet tenminste, het gaat over Teun. Nee, ik kan het niet door de telefoon vertellen. Ik kom bij je, is dat goed?'

'Ja, kom maar, als ik helpen kan dan graag, dat weet je wel.'

Marieke was al telefonerend terug naar de huiskamer gelopen, ze deed daar het licht weer aan en sloot de gordijnen. Ze zette vast water op en besloot af te wachten of haar bezoek aan koffie of aan thee de voorkeur gaf. Of misschien was ze wel toe aan iets sterkers, ze zou het maar even afwachten.

Het was een halfuur later toen Thea met een behuild gezicht en verwarde haren binnenkwam.

'Ik ben op de fiets,' zei ze, 'ik ben zo in de war, ik durfde niet meer met de auto. Stel je voor dat er iets met me gebeurt wat moet er dan van Bruno terechtkomen, hij is nog zo klein.'

'Ga nu eerst eens zitten, wat wil je drinken thee of koffie of misschien een glas wijn?'

'Graag een glas wijn,' zei ze gretig, 'ik ben immers toch met de fiets.'

'Dan krijg je rode wijn, want die heb ik open.'

Terwijl Marieke twee glazen voor hen inschonk zei Thea met schrille stem: 'Teun gaat vreemd, hij heeft een ander.'
'Weet je dat zeker of vermoed je het?'
Nadat ze een flinke slok van haar wijn had genomen zei Thea 'Ik weet het zeker en ik heb haar zelf in huis gehaald, ook dat nog. Ik ken haar en haar man al zo lang we daar wonen, zij zitten in een huis bij ons om de hoek. Ik heb haar leren kennen met het uitlaten van de honden, we zagen elkaar daardoor bijna iedere dag. Op een keer vertelde ze me dat haar man een ander had en dat ze gingen scheiden. Ze was nogal in de war en ik had met haar te doen. Ik zei dat ze gerust eens een kopje koffie bij ons kon komen drinken. Ze kwam voor het eerst op een zondag toen Teun thuis was. Teun had ook met haar te doen en hij was heel aardig tegen haar. Het kwam zover dat ze bij ons is blijven eten. Ik had die dag voor twee dagen gekookt en ik vond een eter erbij wel gezellig. Teun ging met haar samen haar hond ophalen, omdat hij anders te lang alleen zou zijn. Onze honden konden goed met elkaar overweg dus was daar niets op tegen. Zo is het begonnen en dat is nu al meer dan een halfjaar geleden,' eindigde ze het eerste deel van haar verhaal. Ze hield een pauze om weer een slok van haar wijn te nemen en toen vervolgde ze: 'Ze is daarna nooit meer bij ons thuis geweest. Ik zag haar ook maar zelden meer als ik de hond uitliet, soms zwaaide ze uit de verte naar me en nam een andere weg. Ze ontliep me kennelijk. Dat had me achterdochtig moeten maken, maar daarvoor bleek ik toch te onnozel te zijn. Vanavond, na het eten, ik had in de keuken net afgewassen en kwam met de koffie binnen, toen zei hij het ineens.
'Ik moet je wat zeggen,' zei hij, 'en dat had ik al veel eerder moeten doen, ik wil scheiden.'
De koffie vloog over de kopjes terwijl ik het blad neerzette. Ik kon eerst geen woord uitbrengen en toen zei ik: 'Scheiden? Wat bedoel je precies? En waarom zou jij ineens willen scheiden?'

'Ik heb een ander,' zei hij toen, 'je kent haar wel, het is Gees. Ik ga al met haar om sinds ze hier toen bij ons gegeten heeft. Ik viel meteen op haar, en zij heeft me nodig,' 'Ik dacht dat de wereld om me heen instortte. Toen ik zei dat ik hem ook nodig had en dat we bij elkaar hoorden en dat we Bruno samen hadden, zei hij dat hij voor Bruno een goede omgangsregeling wilde treffen. Dat kon heel makkelijk, zei hij omdat ik werkte en Gees niet. Bruno kon nu overdag naar Gees toe in plaats van naar de kinderopvang. Dat scheelde ook in de kosten. En Gees hield erg van kinderen, maar kon ze zelf niet krijgen. Dat was ook de reden van haar scheiding. En ik dan, vroeg ik toen. Jij kunt heel goed zonder mij, zei hij,' en toen sloeg Thea de handen voor haar gezicht en barstte in huilen uit.

Marieke had het verhaal met stijgende verslagenheid aangehoord, ze was letterlijk sprakeloos. Teun had samen met die Gees een heel aardig plannetje bedacht, als Gees niet werkte kon ze beter voor het kind zorgen dan Thea.

'Jij gelooft toch ook wel dat de rechter erin zal trappen en Bruno overdag aan Gees overlaat?' jammerde Thea tussen het snikken door. 'Ik zal hem helemaal kwijtraken, natuurlijk gaat hij mamma tegen haar zeggen, op een dag is hij me helemaal vergeten.'

'Zover is het nog niet,' zei Marieke en ze voelde zelf dat het een schrale troost was. 'Maar jullie zijn ook nog niet gescheiden, is er niemand die een goede invloed op Teun heeft, iemand die hem kan bijbrengen dat hij wel heel snel een belangrijk besluit neemt?'

Thea haalde een tissue tevoorschijn en veegde haar betraande gezicht droog. 'Wie zou dat nu kunnen zijn,' zei ze, 'iedereen rommelt toch maar wat aan tegenwoordig.'

'Jullie zouden eens samen naar een psycholoog kunnen gaan,' stelde Marieke aarzelend voor. 'Je kunt het toch niet zomaar opgeven?'

'Ik heb niets op te geven,' zei Thea dof, 'dat heeft Teun al voor me gedaan. Vergeet niet dat hij daarvoor een halfjaar de tijd heeft genomen. Ik sta voor een voldongen feit.'

'Daar ben ik nog zo zeker niet van,' zei Marieke, ze keek enkele ogenblikken naar de moedeloze figuur tegenover haar, toen stond ze op en ging naar Thea toe. Met haar handen op haar beide schouders zei ze, zich naar haar toebuigend: 'Weet je wat ik tegen mijn patiënten zou zeggen als ze met een soortgelijk probleem bij me kwamen? Ga praten met de huisdokter en de dominee en voor mijn part ook maar meteen met de notaris, maar blijf niet stil zitten treuren en laat vooral niet alles aan de tegenpartij over, kom in actie. Misschien heb jij ook wat aan dit advies. Ik kan je echt niet helpen al zou ik dat nog zo graag willen. Wel kun je bij me komen uithuilen zo vaak je wilt, dat is alles wat ik voor je kan doen.'

'Toen Thea de deur uit was zag Marieke dat het al over twaalven was. Ze had vroeg naar bed willen gaan, maar Thea's verhaal had haar klaar wakker gemaakt. Ze dacht na over wat ze net gehoord had. Thea was tot op deze dag de vrolijkheid zelf geweest, blij met haar kind, tevreden met Teun, voor wie ze eerst niets gevoeld had maar die best een goeierd was met wie ze het goed kon vinden, vooral toen ze samen het kind hadden. Je moest niet zo kieskeurig zijn als je wilde trouwen en graag kinderen wilde, had ze ooit beweerd. En nu dit…

Kwam het door wat ze net gehoord had dat ze ineens zeker wist dat ze nooit met Koen wilde trouwen? Niet helemaal, ze had toch altijd al haar twijfels gehad. Hij was ook een 'goeierd' net zo goed als Teun, maar dat was niet genoeg voor een heel leven samen. Haar besluit stond ineens vast, zaterdag, als hij haar na de zeiltocht thuisbracht, zou ze hem zeggen dat ze samen niet verder konden gaan. Geen uitjes en etentjes meer, geen zeiltochten geen vakanties samen. Het zou allemaal voorbij zijn, haar leven zou weliswaar aan kleur verliezen maar ze zou er veel voor terugkrijgen, haar innerlijke rust. Je kon met iemand geen vriendschap onderhouden die meer dan dat van je wilde. Dat was nu eenmaal zo, ze voelde zich ineens leeg en verdrietig.

Het was de zaterdag dat ze gingen zeilen prachtig weer. Marieke lag tijdens de tocht op de voorplecht en probeerde niet aan het gesprek te denken dat ze op weg naar huis met Koen zou hebben. Ze moest van die laatste dag samen zo veel mogelijk genieten maar daar kwam tot nu toe niet veel van terecht. Ze moest zien dat ze een andere vrijetijdsbesteding voor de weekeinden kreeg, dacht ze. Wat had ze voor ze met Koen omging eigenlijk al die tijd uitgevoerd? Och ja, dat was totaal geen probleem geweest, want voor de verkoop van het huis was ze altijd met allerlei karweitjes in en om het huis bezig geweest. Vooral de tuin had veel van haar tijd gevergd. Nu werd alles gedaan door de werkkrachten die Maarten stuurde. Ze had alleen voor haar eenpersoonshuishoudinkje te zorgen en daar was ze zo mee klaar. Alle rommel die je maakte meteen opruimen was haar devies en dat werkte goed. Ze zou misschien de een of andere cursus die met haar werk te maken had, kunnen volgen. In haar vak kon je nooit genoeg weten. Ze zou er maandag meteen naar informeren. Ze was zo in gedachten verdiept dat ze schrok toen ze ineens een hand in haar nek voelde. 'Schrik je zo van me?' vroeg Koen die naast haar was komen zitten.

'Ik had niet gemerkt dat je eraan kwam. Gezellig dat je bij me kunt zitten, als je gasten hebt die ook goed kunnen zeilen kun je weer eens op een andere manier van je schip genieten, lijkt me.'

'Ik geniet vooral van jou,' zei hij teder haar wang strelend. 'We willen straks ergens aanleggen en proberen of het water al warm genoeg is om te zwemmen. Ik heb al tegen Willem en Carmen gezegd dat jij wel niet van de partij zal zijn, heb ik gelijk?'

'En of je gelijk hebt, ik bibber al bij het vooruitzicht. Ik ben niet sportief zoals je weet, ook als het water warmer is vind ik het eigenlijk altijd te nat. Maar ik ben een heel goede toeschouwster, dat vergoedt veel.'

'Dat ben ik helemaal met je eens,' zei hij.

Hij was het eigenlijk altijd met haar eens, dat had haar vaak geïrriteerd. Niet aan denken nu, het was immers niet meer nodig. O, wat zag ze er tegenop om het hem straks te moeten zeggen!

Er was een soort strandje bij de plaats waar ze de boot afmeerden, er waren al heel wat mensen aan het zwemmen. Het was ondertussen warmer geworden. Nu de boot stil lag, vond Marieke dat ze ook maar in badpak moest, al zwom ze niet. Ze ging de kajuit in om zich te verkleden. Ze was op haar gemak bezig zich met zonnebrandcrème in te smeren, toen ze werd opgeschrikt door een luid gescheeuw. Ze vloog zo snel het trapje op dat ze struikelde en zich lelijk bezeerde maar ze lette er niet op omdat ze geschrokken was van het lawaai buiten. Toen ze aan dek kwam was Carmen aan boord, ze zag lijkbleek.

'Wat is er aan de hand?' vroeg Marieke. 'Wat is er gebeurd?'

Ze kwam op haar toe en verborg haar gezicht tegen Mariekes schouder. 'Het was een speedboot,' hakkelde ze tussen haar snikken door, 'ze denken dat hij dood is, ze zijn hem aan het zoeken. O, Marieke het water is helemaal rood, rood als bloed en ze kunnen hem niet vinden.'

'Wie is het? Is het Willem?'

'Nee, het is Koen.'

'O, nee,' zei ze alleen, het was alles wat ze de eerste tijd kon uitbrengen. Eerst was ze zonder gedachten en toen werd alles in haar chaotisch, maar wat steeds weer boven kwam drijven was dat ze het hem nu nooit zou hoeven zeggen.

'Hoe is het gebeurd?' vroeg ze toen ze haar gevoelens weer enigszins de baas was. 'Hoe kan zoiets, het is hier zo rustig. Je mag hier misschien niet eens met een speedboot varen.'

'Dat is ook zo. Het was een klein jongetje, ik denk pas een jaar of zes. Ik heb hem niet goed kunnen zien. Hij had de speedboot die naast de motorboot van zijn grootvader lag stiekem meegenomen. Hij heeft het ding aan de gang gekregen, maar hij wist niet hoe hij stoppen moest. Hij is finaal over Koen heen gevaren.'

De politie kwam aan boord, ze waren met zijn tweeën, een oudere en een jongere man. 'Och, meidje toch,' zei de oudste terwijl hij zijn hand op haar schouder legde, 'wat verschrikkelijk voor je.'

Ze zei niets terug, ze kon het niet, ze voelde dat haar onderlip trilde, wat een raar kriebelig gevoel gaf. Aan zulke dingen dacht ze, aan onzinnige dingen, dat hielp.

Ze vonden hem laat in de middag, hij werd bij een van de politieboten aan boord gehesen. Willem, die ook bij hen aan boord was gekomen, werd opgehaald door een politieman. 'Wil je meekomen om hem te identificeren?' vroeg hij. 'Kun je het aan, denk je? Het is geen mooi gezicht, maar iemand moet het doen.'

Toen voelde Marieke dat ze een stap naar voren deed en het woord nam. 'Ik kan het doen,' zei ze, 'dat gaat wel weer.'

'Beter van niet,' zei hij alleen en toen stapte hij met Willem op de andere boot over.

Toen Willem later lijkbleek terugkwam, vroeg ze hem: 'Was het erg?'

'Ja, heel erg. Zijn hoofd is... eh... verbrijzeld door de schroef van de speedboot. Je herkent hem niet meer aan zijn gezicht.'

Ze zei niets terug, ze kon het niet, ze moest denken aan die dag dat hij zich op zijn vingers sloeg en in vloeken was uitgebarsten van de pijn. 'God zal me kraken,' had hij geroepen. Ze kneep haar handen tot vuisten, ze wilde niet toegeven aan dat weeë gevoel dat bij haar benen opkroop. God, bad ze stil voor zich heen, haal alstublieft dat ogenblik weg uit mijn gedachten, hij meende het niet zo. God, u verhoort immers geen vloeken, u verhoort gebeden. Wat hij toen zei heeft niets te maken met dit ongeluk Om zich staande te houden greep ze de stoel die naast haar stond vast, ze voelde weer de hand van de oudere politieman op haar schouder. 'Ga eens even zitten, kind,' zei hij terwijl hij haar op stoel duwde, 'de dokter is op de boot hiernaast, hij moest je maar iets geven, ik ga hem halen.'

Ze slikte gedwee het tabletje dat de dokter haar later gaf. 'Ik schaam me,' zei ze, 'ik kan anders heus wel wat aan maar dit...'

'Onzin,' zei hij bijna bars, 'dit is geen kleinigheid. Waren jullie getrouwd?'

'Nee,' zei ze en dat zou ook nooit zijn gebeurd, dacht ze, maar ze werd hier behandeld als zijn weduwe. En dat kwam omdat ze zich zo aanstelde en niet flink was.

'Ik laat je naar huis brengen,' zei de dokter, 'probeer daar wat te slapen, dat zal wel lukken nu je dat tabletje hebt geslikt. Is daar iemand die je opvangt?'

'Ik heb goede buren,' zei ze. Ze moest er niet aan denken dat er straks iemand thuis zou zijn. Alleen zijn, dat was alles wat ze verlangde. Ik ben gelukkig weer in staat om glashard te liegen, want ik heb helemaal geen buren, dacht ze en dat kan de werking van dat tabletje nog niet zijn.

Willem en Carmen brachten haar naar huis. 'We moeten natuurlijk zo gauw mogelijk naar mijn ouders,' zei Willem, 'maar we kunnen het niet aan vreemden overlaten jou thuis te brengen. De dokter zei dat het goed mogelijk is dat je tot morgenochtend slaapt als je straks naar bed gaat.'

'Ik hoop het,' zei ze. 'Weten je ouders het al?'

'Nee, ik wil ze het liever persoonlijk gaan vertellen, daarom hebben we ook haast. Anders zou het wel eens kunnen dat ze het over de nieuwsberichten horen.'

'Lief van jullie om me thuis te brengen,' zei ze toen ze stopten voor het dijkhuis, 'en heel veel sterkte toegewenst bij het overbrengen van de verschrikkelijke boodschap aan je ouders.'

'Dank je,' zei hij, 'ik ben heel blij dat Carmen bij me is, dat begrijp je. Ik bel je in de loop van de ochtend, niet te vroeg natuurlijk, want ik wil niet het risico lopen dat ik je uit je slaap haal.'

'Hoe is het eigenlijk met dat jongetje afgelopen?' vroeg ze toen ze al uitgestapt was. 'Is hij er heelhuids van afgekomen? En heeft hij nog meer ongelukken veroorzaakt.?'

'De speedboot is gestopt toen de benzine op was, hij heeft verder wonder boven wonder geen ongelukken gemaakt. De politie vond hem huilend in de boot, midden op het meer.'

'Ook verschrikkelijk voor die ouders van hem,' zei Marieke, terwijl ze hoofdschuddend wegliep.

Toen ze de voordeur achter zich had dichtgetrokken en haar weekeindtas onder de kapstok had gezet, strompelde ze naar de naar de huiskamer. Ik ben zo duizelig als een tol, dacht ze, dat komt natuurlijk van dat tabletje, ik kan niet eens meer de trap op komen. Ik ben ook zo moe, zo ongelooflijk moe. Ik wil voorlopig niemand meer zien en ook niemand spreken. Ze wankelde naar de telefoon, trok de stekker eruit. Ze viel op de bank neer, zocht naar haar mobieltje in haar broekzak en zette het uit, propte vervolgens een kussen onder haar hoofd en met haar schoenen nog aan voelde ze zich wegzakken in een bodemloze diepte.

Thea werd de volgende dag al vroeg gebeld door Willem. 'Ik veronderstel dat ik je stoor zo vroeg op de dag, maar ik heb een nare boodschap,' begon hij en toen vertelde hij wat er was gebeurd. 'Of dat al niet erg genoeg is,' vervolgde hij, 'nu is mijn vader vanmorgen ook nog met hartklachten in het ziekenhuis opgenomen. In verband daarmee bel ik je zo vroeg. Ik moet met mijn moeder naar het ziekenhuis, maar we moeten ons natuurlijk ook om Marieke bekommeren. Ze was gisteren nogal erg van streek, zou jij even bij haar willen gaan kijken? Ga niet te vroeg, want de dokter heeft haar iets gegeven waarop ze waarschijnlijk lang slaapt.'

'Maar natuurlijk doe ik dat, 'reageerde Thea, 'had me gisteren maar gebeld, dan was ik meteen naar haar toe gegaan.'

Het klonk Willem als een beschuldiging in de oren. 'We hebben haar gisteren thuisgebracht en toen vond ik het al ellendig dat we haar alleen moesten laten, Natuurlijk had ik je toen moeten bellen, maar we hebben er niet aan gedacht. We wilden zo gauw mogelijk naar mijn ouders, we waren bang dat ze het bij het nieuws zouden horen en...'

'Ik begrijp het helemaal,' onderbrak Thea hem, 'dat jullie haar thuisgebracht hebben is al geweldig onder die omstandigheden. Ik ga straks naar haar toe en kijk wat ik voor haar kan doen. Ik wens je heel veel sterkte voor de komende dagen.'

Na het telefoongesprek keek Thea op de klok, het was pas negen uur. Ze wendde zich tot Teun die binnenkwam met Bruno op zijn arm, ze vertelde hem van het telefoontje.

'Zullen we samen naar haar toe gaan,' stelde Teun voor, 'dan nemen we Bruno mee. Dat leidt haar wat af, ze is dol op Bruno.'

Ze wist dat hij die middag een afspraak had met Gees, hij scheen haar even te vergeten, dacht ze spottend maar ze zei hem toch dat ze zijn voorstel een goed idee vond. Later hoorde ze hem in de bijkeuken met haar bellen om de afspraak af te zeggen. Ze stond bij het aanrecht en liep vlug naar de kamer om niet door hem gezien te worden als hij de bijkeuken uitkwam.

'Zullen we een fles wijn voor haar meenemen,' stelde hij voor, 'ik heb er gisteren in de supermarkt twee gekocht, we kunnen er wel een voor haar missen, vind je niet?' het was even of die Gees er nooit geweest was, dacht ze.

'Ja, natuurlijk kunnen we er een missen,' zei ze. 'Ik geloof niet dat ze zo lang slaapt als die dokter denkt, ik probeer haar te bellen. Als ze echt zo vast slaapt wordt ze toch niet wakker en als ze wel wakker is, zal ze zich ellendig voelen zo alleen.'

Al pratend had ze Mariekes nummer gebeld, er werd niet opgenomen. 'Nou, dan zal ze misschien nog wel slapen,' zuchtte Thea, 'maar ik ben er niet gerust op, weet je.'

'Laten we dan maar gaan kijken,' vond hij, ze hoorde wrevel in zijn stem. Daar zijn we weer, dacht ze, ik dacht dat hij even normaal deed.

Ze stonden even later voor Mariekes deur en belden aan maar er werd niet opengedaan.

'Ligt er niet ergens een sleutel?' vroeg Teun. 'Onder een steen of zo?'

'Niet meer sinds ze het verkocht heeft. Dat raden we af voor huizen die onder ons toezicht staan. Zal ik Maarten bellen om te vragen of hij een sleutel heeft, hij is tenslotte de eigenaar. Ik kan hem beter bellen dan dat we meteen een ruit inslaan.'

Maarten was er in minder dan geen tijd, Lizzy was meegekomen.

'Wat verschrikkelijk,' zeiden ze bijna tegelijk, Maarten haalde een sleutelbos uit zijn broekzak terwijl hij naar de voordeur liep.

'Ik denk dat het 't beste is dat je alleen naar boven gaat, terwijl wij hier wachten, 'stelde Maarten aan Thea voor, ze was de trap al op voor hij uitgesproken was.

'Ze is er niet,' zei ze nog geen minuut later, 'haar bed is onbeslapen. En toch hebben Willem en Carmen haar thuisgebracht. Wat afschuwelijk allemaal. Hadden ze me maar eerder gebeld.'

'Dat hebben ze dus niet,' zei Teun, 'maar misschien is ze vroeg opgestaan en is ze naar buiten gegaan.'

'Kunnen we niet beter even kijken of ze in huis is,' stelde Thea aarzelend voor, 'we hebben wel een paar keer aangebeld en de telefoon wordt ook niet opgenomen maar het kan zijn dat ze…'

Maarten had de deur van de huiskamer al open, ze gingen naar binnen en keken om zich heen. Het was een grote kamer, de open haard zat aan de rechter muur, de bank en de fauteuils stonden er omheen. Maarten liep naar de haard en zag haar toen op de bank liggen, ze had haar schoenen nog aan en een been hing over de bank, haar schoen raakte de vloer. Ze bewoog even, maar het was hem meteen duidelijk dat ze nog sliep. Hij liep op zijn tenen terug naar de anderen, zijn wijsvinger tegen zijn lippen. Ze liepen achter hem aan terug naar de hal. 'Die dokter heeft wel gelijk gehad,' zei hij toen,' ze slaapt nog.'

'Maar ik blijf wel hier tot ze wakker wordt,' zei Thea meteen toen Maarten en Lizzy aanstalten maakten te vertrekken, 'het lijkt me naar om alleen te zijn als je wakker wordt na een dergelijke ervaring.'

'Ik blijf ook,' zei Teun, 'Bruno en ik gaan hier in het zand spelen aan het strandje, roep me maar als ze wakker is.'

'Zou je dat wel doen?' zei Thea, 'pas alsjeblieft op, je weet toch dat Mariekes ouders hier allebei verdronken zijn, haar vader heeft haar moeder willen redden. Er zitten hier draaikolken in de rivier.'

'Dat wist ik niet,' zei Teun, 'maar ik zal natuurlijk heel voorzichtig zijn.

'Zeg er maar niets over tegen haar, ze wil er nooit over praten, ik heb het in het dorp gehoord,' zei Thea nog en toen ging de deur naar de hal open en verscheen Marieke met een verschrikt slaperig gezicht het haar in pieken om haar hoofd.

Ze had alleen willen zijn, maar toch zei ze: 'Wat aardig van jullie om allemaal te komen. Hoe wisten jullie het?'

'Willem heeft ons gebeld,' legde Thea uit, 'maar je gaf geen gehoor, de telefoon werd niet opgenomen en de deur werd niet opengedaan, toen hebben we Maarten gebeld die gelukkig thuis was.'

'Ik had een sleutel zoals je weet,' zei Maarten die met uitgestoken hand naar voren was getreden en Marijke een hand gaf. 'Mijn innige deelneming, het moet allemaal heel erg voor je zijn.'

'Het is inderdaad heel erg, vooral voor Willem en zijn ouders en dan de manier waarop...' ze onderbrak zich. 'We staan hier zo raar met zijn allen in de hal, zouden jullie verder willen komen om een kop koffie met me te drinken? Daar ben ik, eerlijk gezegd, hard aan toe.'

Tijdens de koffie die door Thea en Lizzy samen gezet was vertelde Marieke over het ongeluk. Ze keek op de klok toen ze erover was uitgesproken en merkte op: 'Willem zou me bellen, ik ben natuurlijk verlangend te horen hoe het met zijn ouders gaat.'

'Het gaat niet zo goed met zijn ouders,' zei Thea toen, 'daarom is hij hier ook niet teruggekomen. Zijn vader kreeg last van zijn hart toen hij het hoorde, hij ligt in het ziekenhuis, hij en zijn moeder zijn bij hem.'

'Och...' zei ze alleen en toen: 'Ook dat nog.'

'Voor jou is het ook niet eenvoudig,' zei Teun toen, 'je zult hem ook erg missen.'

Marieke zweeg even, keek stil voor zich uit. 'Ik zal hem ook missen,' zei ze, 'maar anders. Ik was namelijk van plan om juist gisteravond tegen hem te zeggen dat ik niet met hem zou trouwen. Ik zag daar erg tegenop. Nu hoef ik hem dat niet meer te zeggen. En dat maakt alles nog erger, voor mijn gevoel bijna luguber.'

Toen ze die woorden had uitgesproken, voelde ze zich wat beter. Nu waren er ook andere mensen die dat wisten. Ze zouden niet langer in haar een soort weduwe zien. Maar ze zag weer in gedachten hoe ze hem gevonden hadden, met dat verschrikkelijk beschadigde hoofd, gekraakt door de schroef van de boot. Ze wist dat ze nooit aan iemand zou vertellen waarom ze dat het ergste vond. Ze zocht naar woorden die haar gevoelens beter zouden kunnen uitdrukken, ze kon ze niet vinden.

70

5

Het leven ging verder en zo vond die week de bruiloft van Maarten en Lizzy plaats. De dag viel samen met de dag waarop Koen gecremeerd werd. Koens vader was in zoverre hersteld dat hij bij de crematie aanwezig kon zijn.

'We weten,' had Koens moeder gezegd, 'dat jullie geen paar waren, Koen en jij, maar toch zou ik graag willen dat je met Carmen en Willem met ons meegaat om gezamenlijk naar het crematorium te rijden. Hij hield zo veel van je, kind. Ik weet zeker dat hij het graag had gewild.'

Thea kwam die avond verslag brengen van de bruiloft die ze had bijgewoond.

'Het leven steekt raar in elkaar,' zei ze, 'zelden zie je het zuur en het zoet zo dicht bij elkaar. Vertel jij eerst maar van je ervaringen van vandaag, het zal je zeker niet meegevallen zijn.'

'Het was minder erg dan ik gedacht had en iedereen was, ja, aardig tegen me en ze schenen allemaal te weten dat Koen en ik alleen maar vrienden waren. Iets wat ik erg prettig vond. Er was heel veel belangstelling. Koen zat in verschillende sportverenigingen waarvan er veel mensen gekomen waren en er waren verschillende collega's. Er is door veel mensen gesproken. Ik wist niet dat hij zich voor zo veel ingezet heeft. Zijn ouders hielden zich goed. Ze vroegen allebei of ik hen nog eens wilde komen bezoeken en dat ga ik zeker doen. De grootouders van dat jongetje dat het ongeluk veroorzaakt heeft, zijn bij hen op bezoek geweest. 'Het was heel emotioneel,' zeiden ze daarover eigenlijk alleen. En dat ze mij ook een bezoek wilden brengen. Dat zal ik dan maar afwachten. Willem en Carmen hebben me na afloop weer thuisgebracht. Het was vroeg afgelopen, maar ik had de hele dag vrij genomen en hoefde dus niet meer naar mijn werk. Dat was het wel. Je houdt van zoiets een raar leeg gevoel over, ik ben blij dat je even komt. Heeft Bruno oppas?'

'Mijn ouders zijn er, dat is een lekker rustig gevoel. Ze hebben vandaag de hele dag op hem gepast, omdat ik naar de bruiloft was en tussen de middag ook niet thuiskwam. Zodoende kon ik nu naar je toe. Weet je trouwens dat die grootvader van dat kind directeur van het ziekenhuis is waar jij werkt?'

'Van Mellema, onze directeur?' Marieke sloeg verschrikt haar hand voor de mond. 'Wat verschrikkelijk voor die mensen. Hun dochter is vorig jaar overleden, dat jongetje is toen bij hen in huis gekomen, omdat die vader kapitein op de grote vaart is. Hij zit nu ergens in het Caribische gebied op een cruiseschip. Hij zal waarschijnlijk niet zomaar naar huis kunnen. Zijn schoonouders zullen hem heel wat uit te leggen hebben. Hoe komt dat kind aan die haven waar die boot lag?'

'Het is me ook een raadsel hoe dat kleine joch dat ding aan de gang heeft gekregen,' zei Thea. 'Met kinderen mag je wel op alles voorbereid zijn.'

'Als je het zo bekijkt heb je geen leven meer door de zorgen die je je moet maken Je kunt nu eenmaal niet altijd alles voorkomen,' meende Marieke.

'Willem en Carmen hebben het ongeluk zien gebeuren,' vervolgde ze, 'het was een grote speedboot met een kajuit. Later hoorden ze van de politie dat de sleutel in het contact heeft gezeten, je hoefde die alleen maar om te draaien om ermee weg te komen. Dat kind is ook al eens met de auto van zijn grootvader de straat uitgereden, de buren zagen het en konden narigheid voorkomen. Dat heeft Mellema aan Koens ouders verteld. Het schijnt een avontuurlijk kind te zijn. Enfin, ik zal het allemaal nog wel horen als ik Mellema spreek. Vertel jij eens van je belevenissen, was het een mooie bruiloft?' vervolgde ze toen.

'Overweldigend, in een woord. De bruid was een snoepje, kun je zeggen. En Maarten was natuurlijk een plaatje, net een filmster. De hele stad was uitgelopen en er waren veel bekende figuren bij, de burgemeester onder anderen en dan veel zakenmensen, collega's van Maarten. Ik ben eerst naar het stadhuis geweest maar daar kon ik niet naar binnen omdat het te vol was Toen ben ik maar vast naar de kerk gegaan om daar een plaatsje te krijgen. En dat is gelukt, ik zat fijn vooraan. Ik kon de tranen van de bruid zien, dus zat ik helemaal goed. Op de receptie heb ik hen gefeliciteerd, de familie van Maarten stond om het bruidspaar heen, Lizzy schijnt alleen wat verre familie te hebben, maar die heb ik niet gezien. Maarten was heel aardig, ik heb hem nog even gesproken, hij vroeg of ik wist hoe het met je ging. Je moet de groeten van hem hebben, van Lizzy trouwens ook.'

'Wat attent van hen om daar aan te denken in die drukte,' zei Marieke.

'Maarten is altijd attent, dat weet je,' zei Thea, ze zei het met een trillinkje in haar stem dat Mariekes aandacht trok, ze zag de fluwelen glans in Thea's ogen en ze dacht wat ze al ooit eerder had vermoed, Thea is verliefd op Maarten. Wat een ellende moet dat zijn als je altijd zo dicht bij hem bent, als je werk daar is, dag in dag uit. Het zal allemaal des te moeilijker zijn nu ze met Teun in de clinch ligt.

'Vertel verder,' drong ze, 'waren er veel bloemen? Heb je nog cadeaus gezien?'

'Er waren zeeën van bloemen, andere cadeaus waren er ook, maar ze waren allemaal ingepakt. Er schijnt nog een groot feest te zijn geweest voor genodigden, daar schijnt ook veel afgegeven te zijn. Dat vertelde een ober van het hotel aan iemand op de zaak Wij hebben geen cadeau gegeven, Maarten wilde liever een bijdrage voor een goed doel. Wel gemakkelijk voor ons. Wat moet je zulke mensen nou geven? Ze hebben toch alles al? En ze hebben er niets aan, als je het mij vraagt, Lizzy is altijd in hotels onderweg en Maarten zit meestal op de zaak.'

'Het is toch goed voor later,' vond Marieke,' ze zullen vast veel mooie herinneringen krijgen. En dan zitten ze in dit huis in de kamer die op de rivier uitkijkt. Met een heel stel kinderen waarschijnlijk.'

Waar zou ik dan zitten, dacht ze. Ze hoopte dat ze hier niet al te lang meer als oppas hoefde te dienen. Na dat ongeluk was de rust uit haar weg. Een eigen stek zou haar misschien helpen die rust terug te vinden. Niet te veel denken, het proberen althans, dat was het beste. Ze moest geen medelijden met zichzelf creëren en zich ook niet inbeelden dat ze een zwerfkatje was.

'Ik dacht dat het wat beter ging tussen jou en Teun of heb ik dat mis?' vroeg ze van onderwerp veranderend.

Thea snoof verontwaardigd. 'Ik denk dat hij langzamerhand inziet dat scheiden en opnieuw beginnen niet zo gemakkelijk gaat. Gees moet het huis uit, omdat ze de huur niet kan blijven betalen en voor Teun is haar huis ook veel te duur als hij gescheiden is. Zij werkt niet, ze is ontslagen want ze heeft te zwakke zenuwen om te werken…, zegt ze. Nu wil ze afgekeurd worden maar dat alles brengt niet veel geld op. En dan moet Teun financieel voor Bruno zorgen, dat is ook niet niks. We wonen nu in het huis van mijn ouders, ik hoef maar een klein beetje huur te betalen. Dat bedrag zetten mijn ouders op een aparte rekening, voor als ik eens geld nodig zou hebben. Dat is ontzettend lief van ze. Ze zijn helemaal niet rijk. Mijn vader had een klein boerderijtje dat niet genoeg opbracht om van te leven. Hij heeft het voor een mooie prijs verkocht en is in loondienst gegaan. Van het geld heeft hij een huis gekocht, mijn ouders hebben daarin tot mijn vaders pensioen gewoond. Toen zijn ze naar een aanleunwoning gegaan en mochten Teun en ik in het huis wonen. Teun verbeeldde zich dat hij daarom niet aan Bruno's opvoeding hoeft te betalen, omdat ik via mijn ouders al zo veel voordelen heb. Hij is er nu achter dat hij daar mis mee is. En dat Bruno iedere dag voor opvang bij hem en zijn splinternieuwe vrouw zou komen, dat zal ook niet zo maar doorgaan als ik er op tegen ben. Zo zijn er meer haken en ogen. En nu gaat hij nog wel af en toe naar haar toe, maar hij praat op het ogenblik niet meer over een scheiding. Ik laat het allemaal maar even zo. Hij slaapt tegenwoordig in de logeerkamer, dus genieten we veel vrijheid. Nou ja, genieten, dat is het woord natuurlijk niet.' ze zuchtte en zweeg toen.

Ze koestert zich overdag in de vriendelijke bejegening van Maarten die tegenover iedereen dezelfde sympathieke houding heeft, dacht Marieke. En ze heeft haar werk en niet te vergeten, ze heeft Bruno.

Die zaterdagmorgen om tien uur, Marieke wilde zich juist in de kamer met het uitzicht op de rivier installeren, toen de bel ging. Misschien iemand die de weg kwam vragen, dat gebeurde nogal eens. Echt bezoek zou het niet zijn, dat kwam hier niet vaak onaangekondigd. Ze legde de stapel kranten en tijdschriften die ze bij elkaar had gezocht om door te nemen op de grote eettafel en liep naar de voordeur. Toen ze die geopend had, zag ze een dame met een jongetje aan haar hand op de stoep staan. Ze stak haar hand naar Marieke uit en ze zei: 'Ik ben Christa Mellema, ik had je al veel eerder een bezoek moeten brengen, heel veel excuses daarvoor. Dit is onze kleinzoon Tim, je kent hem nog niet maar hij is de veroorzaker van het verdriet, waarmee we allemaal moeten leren leven. Het leek ons goed hem mee te nemen.'

Voor het tot Marieke doordrong met wie ze te maken had, had het kind een stapje naar voren gedaan en een hand naar Marieke uitgestoken.

Terwijl hij haar hand greep zei hij: 'Ik vind het heel erg wat er gebeurd is, het spijt me zo.' Het klonk als een uit het hoofd geleerde zin, hij voegde er nog aan toe: 'En ik kan het nooit meer goedmaken.'

Marieke voelde er zich even verlegen mee, ze nam het kleine handje tussen haar beide handen en drukte het, ze boog zich naar hem over en zei zacht: 'We praten er nog wel eens over samen. Jij bent dus Tim? Ik ben Marieke. Komt u verder,' vervolgde ze tegen zijn grootmoeder, 'ik was juist van plan in de tuinkamer te gaan zitten, het uitzicht op de rivier is nu zo mooi met die voorbij varende schepen. Zullen we daar een kopje koffie drinken?'

'Het lijkt me heerlijk,' zei ze. Ze voelt zich niet op haar gemak, dacht Marieke, en dat is helemaal geen wonder.

'We hadden eerder moeten komen,' zei Christa weer toen Marieke de koffie voor hen had neergezet, 'we zijn wel direct naar de ouders gegaan, mijn man en ik. Toen hadden we Tim niet bij ons. Wat maar goed was, want de vader van je vriend was er slecht aan toe na het horen van het verschrikkelijke bericht. We zijn maar kort gebleven, de ziekenauto was al onderweg toen we er nog waren. Het is gelukkig vrij goed met hem afgelopen. Gelukkig wel, dat was tenminste iets,' ze zuchtte.

'Tja...' Marieke wist niet wat ze zeggen moest. Toen vervolgde ze: 'Het is voor ieder van ons moeilijk, 'ik denk dat we allemaal tijd nodig hebben, denkt u ook niet?'

Christa knikte. Toen wendde Marieke zich tot Tim. 'Jij drinkt nog geen koffie, wil je wel een glaasje limonade?'

Hij schudde zijn hoofd. 'Nee dank u wel, ik voor straf maar niets.'

Marieke keek over zijn hoofd heen zijn grootmoeder aan. 'Hij vindt het zo erg,' zei ze.

'Op school zeggen ze dat ik een moordenaar ben,' zei hij.

Marieke wendde haar hoofd af om de tranen in Christa's ogen niet te hoeven zien. Ik weet hier geen raad mee, dacht ze, ik wilde maar dat ze niet gekomen waren. Christa kende ze alleen van aanzien, ze was een wat forse goedgeklede vrouw, altijd gehuld in een wolk van parfum, maar nu leek ze gekrompen te zijn en ze straalde alleen rouw en verdriet uit. Alles wat naar glamour zweemde leek verdwenen

'Mijn man en ik zullen zo opgelucht zijn als zijn vader er is. Onze schoonzoon is kapitein op een cruiseschip dat nu in het Caribische gebied is. Er moest een vervanger voor hem gevonden worden, dat gaat zo gauw niet. Hij hoopt in de loop van de week hier te zijn.'

Bij het afscheid bracht ze hen naar de auto. 'Ik wens u allemaal heel veel sterkte en ik dank u zeer voor uw komst,' zei ze

Terug in huis ging ze weer in de tuinkamer zitten, nam een tijdschrift en bladerde het door zonder dat er iets van wat ze zag tot haar doordrong.

Het is net of het pas gebeurd is, dacht ze, nu kan ik weer helemaal opnieuw beginnen. Het hele weekeinde lag leeg voor haar, hoewel ze zich voorhield dat ze als Koen nog geleefd had nu ook alleen zou zijn geweest. Ze had er immers een punt achter willen zetten? Maar het zou anders zijn geweest, wist ze.

Na een poosje legde ze het tijdschrift weg, bijna wrevelig dacht ze ineens, ik moet mijn leven veranderen. Dat ik hier zolang op het huis pas is mooi en goed, maar vooral in financieel opzicht. Ik woon hier voor niets en alle andere kosten worden betaald maar verder heb ik het gevoel dat ik in de wachtkamer zit. Dat moet veranderen. En dat moet ik zelf doen. Het kan nog jaren duren voor Maarten en Lizzy hier intrekken en ondertussen gaat mijn leven voorbij zonder een vaste lijn. Ik wil hier nog best een poosje wonen, maar ik moet plannen maken. Maandag zal ik tegen Thea zeggen dat ze naar een huis voor mij moet uitkijken. En wilde ze wel jaar in jaar uit in dezelfde baan werken? Werd het geen tijd dat ze omkeek naar iets anders? Als ze dat wilde moest ze zich niet direct een ander huis op de hals halen. Wilde ze wel weg uit het ziekenhuis waar ze met veel plezier werkte, fijn werk, geen slecht salaris, aardige werksfeer? Wel waren de collega's met wie ze begonnen was in de loop van het laatste jaar allemaal verdwenen. Ze hadden ander werk gezocht. Zij had daar nooit aan gedacht, omdat deze baan dicht bij het dijkhuis was. Lekker gemakkelijk. Maar nu ze het huis kwijt was mocht ze het zich best eens wat minder gemakkelijk maken om meer uit haar leven te halen dan ze nu deed. Wat kon ze met haar opleiding anders doen dan nu? Iets anders? Ze hield van dit werk, mensen van hun pijn afhelpen in veel gevallen, soms alleen de pijn verminderen, maar meestal gingen ze toch beter bij haar weg dan dat ze gekomen waren. De voldoening daarover wilde ze eigenlijk niet missen. En dan de gesprekken met hen, hoeveel patiënten hadden hun hart al bij haar uitgestort. Er waren er bij die ze een beetje had kunnen helpen, die eigenlijk alleen al geholpen waren doordat ze zich eens tegen iemand hadden kunnen uitspreken. Nee, het werk moest hetzelfde blijven, ze moest alleen een andere omgeving zoeken. Een ander ziekenhuis of bij een collega gaan werken die zich zelfstandig had gemaakt. Ze kon zich natuurlijk ook zelfstandig maken, een eigen praktijk opbouwen. Dat was toen ze het dijkhuis nog bezat onmogelijk geweest. Het lag veel te ver van de bewoonde wereld om daar patiënten te ontvangen, bovendien had ze geen geld gehad om de ups en downs van een eigen praktijk op te vangen. Maar nu had ze de opbrengst van het huis, een som waarnaar ze nog steeds argwanend keek met het gevoel dat het niet echt haar geld was. Bovendien spaarde ze ieder maand een behoorlijke som, omdat ze op het huis paste. Dat kon voorlopig mooi zo blijven, dat geld kon ze voor haar nieuwe plannen goed gebruiken. Vanuit deze vesting kon ze dan rustig opereren. Een huis in de stad kopen waar ze langzamerhand een eigen praktijk kon opbouwen. Ze zou wel een paar dagen per week in het ziekenhuis blijven werken, ze hield dan contact met collega's en het gaf ook een gevoel van veiligheid. Wonderbaarlijk hoe door een bepaald idee alles in een ander licht kwam te staan. Natuurlijk was alle narigheid er nog, Koens ouders in rouw gedompeld, de manier waarop Koen het leven had verloren en dan dat kereltje van wie ze zeiden dat hij een moordenaar was en die dat misschien moeizaam zijn hele leven mee moest slepen, het zou er blijven, maar zij had nu als bij toverslag een ander leven voor zich. Zomaar uit het niets voortgekomen op deze trieste uitzichtloze zaterdagmorgen. Het was als een wonder. Toen opa en tante Marie nog leefden was altijd het devies geweest: geen drank voor vijf uur 's middags. Ze had dat altijd nageleefd, maar nu brak ze er voor keertje mee, ze zou de fles oude cognac van opa aanspreken. Ze had hem altijd bewaard voor een bijzondere gelegenheid. En dit was een heel bijzondere aangelegenheid om het maar eens plechtig te zeggen.

De volgende week ontvouwde ze Thea haar plan. Deze was meteen enthousiast. Ze wreef in haar handen en zei vergenoegd: 'Kind, weet je dat mijn vingers gewoon jeuken om eraan te beginnen? Je bent allang een vrouw in bonus en je doet er niets mee. Nou ja, dat is niet helemaal waar, je spaart natuurlijk wel, want geld uitgeven aan iets ziet niemand je doen.'

'Die schade kunnen we inhalen,' vond Marieke, 'maar ik zeg je een ding, denk niet dat ik grote sommen aan een huis ga uitgeven. Een eigen praktijk heeft goede en kwade dagen en die kwade dagen wil ik kunnen opvangen.'

'Je krijgt alles zoals je het hebben wilt, 'beloofde Thea. 'Ik was in gedachten al met een profielschets voor je huis bezig maar ik bedenk me ineens dat we misschien al iets voor je hebben. Je weet dat Lizzy een appartementje heeft boven een soort meubelwerkplaats? O, dat weet je dus niet, sinds ze zo bekend is maakt ze er nooit meer gebruik van. Ze vindt het gemakkelijker om in een hotel te logeren als ze hier is. Maarten heeft een eigen flat, maar daar zijn ze ook nooit. Als zij hier is zijn ze gewoon samen in een hotel. Dat komt heel goed uit want de eigenaar van het pand heeft geld nodig en hij wil het pand verkopen. Hoe gauwer hoe liever en dan komt het goed van pas dat jij hem onmiddellijk contant kunt betalen. Dat geeft je als het ware voorrang want er is belangstelling. Ik ben er vorige week geweest en ik heb het tot in details bekeken, het zou volgens mij heel geschikt voor je zijn. Het bovenhuis is intact, je kunt er zo in bij wijze van spreken. Wat Lizzy met die meubels wil doen weet ik niet, maar ik neem aan dat ze die laat staan. Dat zou het handigst voor je zijn, dan heb je niets te verhuizen als je er al zou willen intrekken terwijl je hier blijft wonen en daar aan het werk gaat. De werkplaats ligt uiteraard beneden en van die ruimte is heel goed jouw praktijkruimte te maken. De ligging is centraal, goed te bereiken voor je cliënten. Er is wat achterstallig onderhoud, maar het is een smal pand tussen twee oude degelijke grote huizen in, over je tussenmuren heb je geen zorg, de voor- en de achtergevel moeten een beetje worden opgeknapt en er ontbreken enkele dakpannen, maar dat is met niet veel kosten allemaal op te lossen Als hij met zijn vraagprijs niet naar beneden wil, maar ik neem aan dat hij voor contante en snelle betaling best wat laat vallen, dan houd je meer dan genoeg over om de kwade tijden op te vangen. Je hebt me verteld wat je geld nu opbrengt, als je het huis koopt wordt het natuurlijk minder, maar dan blijft er nog zo veel over dat je niet zou hoeven werken als je het wat rustig doet. Er is nog iets leuks aan dat pandje, het ligt aan de kade, je kunt, net als hier, de rivier zien. Je moet nu wel ietsje blijer kijken, vind ik. Het is toch zeker net Sinterklaas?'

'Maar als het echt iets voor me is dan komt het wel griezelig gauw,' zei Marieke bedremmeld, 'het lijkt namelijk nogal goed. En als Lizzy er heeft gewoond zal het er ook best om te hebben zijn, neem ik aan. Ik ben in ieder geval erg nieuwsgierig geworden, wanneer kan ik het bekijken?'

'Het is niet bewoond, die meubelmaker is de eigenaar en hij doet nu iets anders, we hebben een sleutel dus, kunnen we er morgen al in. Zullen we maar meteen een tijd afspreken?'

'Ik voel me in het diepe gegooid,' zei Marieke toen Thea vertrok.

'Ik ken niemand die zo goed kan zwemmen als jij. Figuurlijk gesproken,' verduidelijkte ze met een grijnsje.

Ik voel me zo opgewonden als een veer die te strak aangedraaid is, dacht ze toen ze in een stoel was neergevallen om uit te blazen. Ze keek om zich heen, het wordt de hoogste tijd dat ik mezelf toespreek. Even alles op een rijtje, dit hier ben ik al lang kwijt, goed beschouwd ben ik dakloos want ik logeer hier alleen nog maar. Vraag: waar ben ik nu mee bezig? Antwoord : ik ben bezig een nieuw onderdak te zoeken. Conclusie: een verstandig idee. Ze keek op de klok, het was tien uur en het weer was goed, ze zou nog een eind gaan lopen om wat af te koelen. Ik wil een hond, dacht ze onderweg. Dan loop je niet zo doelloos, want dat beest moet eruit. Was het een verstandig idee om daar aan de kade in de stad een hond te nemen? Natuurlijk was dat verstandig, ze had immers een tuintje. Ze grinnikte in zichzelf, ik doe net alsof ik daar al zit, dacht ze, maar waarom ook niet? Dat was de beste manier om te kunnen aanvoelen of het haar bevallen zou. Een tuintje, dacht ze, een stukje grond dat ze behappen kon, waarvoor ze geen zitmaaier nodig had die bleef steken in de molshopen, zoals hier. Het leek haar geweldig. Een grote tuin was mooi als je een tuinman had, zoals nu, weliswaar gestuurd door Maarten. Ze kreeg al bijna een geborgen gevoel bij de gedachte daar te wonen. Ze lachte hardop, dat kon ze rustig doen, niemand zou haar horen hier op dat smalle paadje onder aan de dijk en ik heb het nog niet eens gezien, dacht ze

Toen ze het huis de volgende dag zag, was ze meteen besloten.

'Ik neem het,' zei ze, 'hieraan kan ik geen buil vallen. Ook als ik me bedenk en geen praktijk aan huis wil, is het voor mij het beste huis van de wereld. Ik kan in het ziekenhuis in deeltijd gaan werken en wat particuliere patiënten zien te krijgen. Ik kan er van alles mee en ik moet niets.'

'Je bent er echt blij mee,' constateerde Thea.

'Heel blij. Dat onzekere gevoel sinds de verkoop van het dijkhuis, is ineens weg. Ik heb weer een beetje toekomst, iets om over te denken en lekker te sudderen. Ik ben, ja, ik ben heel blij. De tuin is ook leuk. Hij is wat verwilderd maar er staan goede dingen in. Ik vraag aan Maartens tuinman om advies. Het moet mooi worden, maar ook geschikt voor de hond.'

'Heb je een hond?' vroeg Thea verrast.

'Nog niet, maar ik ga hem aanschaffen, daar verheug ik me ook al op. Ik neem geen grote hond, ik weet nog niet welk ras maar in ieder geval een die bij mijn huis past. Ik ga daarover ook advies vragen, dat schijnt tegenwoordig te kunnen.'

'En ik ga jou op een luxueuze lunch uitnodigen,' zei Thea.

'Daar zal Maartens zaak voor een koopje vanaf komen want ik wil alleen een dubbele espresso zo sterk dat de lepel er rechtop in blijft staan en de grootste moorkop die we kunnen krijgen. Als hij te klein is wil ik er twee.'

'Ik zal Maarten de schade melden, 'grinnikte Thea. 'Weet je dat je mij ook aansteekt met je blijdschap? Het is net of alles gemakkelijker lijkt als je iemand naast je hebt die zich zo over iets verheugt.'

Marieke keek van opzij naar haar, ze drukte even de mouw van haar jack. 'Ik weet wel dat jij het moeilijk hebt, troel, maar je doet het goed. Ik bewonder je.'

'Je moet me liever niet gaan prijzen,' antwoordde Thea met omfloerste stem. Marieke zag dat ze een spontaan opgekomen traan met haar hand wegveegde. 'Het is echt Jantje lacht en Jantje huilt,' zei ze.

'Bij jou moet er even drank in,' vond Marieke, 'een heerlijk glas Chablis bij de lunch zal wonderen doen. Dat mag voor een zakenvrouw als jij die net een koop voor haar baas heeft afgesloten.'

Na de lunch kreeg Marieke een zeurderige patiënte die iedere week kans zag een verhaal op te dissen hoe slecht ze weer door doktoren en verpleegsters behandeld was. Ze luisterde zonder de draad van het verhaal te volgen. Dat hoefde ook niet als ze maar zo af en toe een klein instemmend geluid liet horen.

'Vorige week gaf u me het advies mijn zoon te vragen eens met de dokter te gaan praten. Dat heeft hij gedaan en nu is alles geregeld, zei mijn zoon. Zo zie je dat het wel kan, als je er maar werk van maakt maar je moet er natuurlijk wel over praten maar laat dat maar aan mij over, wat u?'

'Nou en of,' zei Marieke. 'Het is zo fijn voor mij dat ik met u zo goed praten kan, dat lucht me zo op. Er zijn maar weinig mensen zoals u.'

'Fijn dat ik u wat kon helpen, u bent weer klaar, mevrouw. En deze week vooral uw oefeningen niet vergeten. Tot de volgende keer.'

'Hoe kun je het allemaal aanhoren,' zeiden collega's soms, maar ze zag het als een onderdeel van haar werk, de klachten van deze vrouw die nergens op sloegen, vermoeiden haar niet. Met serieuze klachten en serieuze problemen had ze het soms moeilijker, maar die maakten dit werk ook juist zo interessant. Het was een mooi perspectief, dat met een eigen praktijk in het vooruitzicht haar werk waarvan ze hield grotendeels hetzelfde zou blijven, terwijl ze toch een heel ander leven kreeg.

Toen Tims vader enkele dagen later opbelde, had ze in eerste opwelling een gevoel van tegenzin, zo van: daar begint het weer en ik dacht dat ik er eens even afstand van kon nemen. Maar ze zag het jongetje voor zich en werd toen toch nieuwsgierig hoe het kind het maakte.

'Het moet voor u een nare thuiskomst zijn geweest,' zei ze, 'maar het zal Tim ongetwijfeld goed doen dat u gekomen bent. Hoe gaat het met hem?'

'Niet best,' zei hij prompt. 'Ik maak me zorgen over hem. Ik ben bang dat dit voorval een stempel op zijn verdere leven zet. Hij komt er niet los van.'

'Dat gaat ook niet ineens. Uw schoonmoeder sprak van een kinderpsycholoog die ze wilde inschakelen, heeft ze dat al gedaan?'

'Ja, Tim is een paar keer bij haar geweest, maar ze kan geen woord uit hem krijgen. Hij houdt bij haar zijn mond stijf dicht terwijl hij tegen ons wel gewoon praat. Nu ja gewoon praat is te veel gezegd, hij antwoordt als we hem iets vragen en een enkele keer zegt hij zelf ook wel eens iets. Maar niet zo als vroeger, bij vroeger vergeleken is hij een zorgelijk oud mannetje geworden. Hij geeft zich aldoor de schuld van iets en dan vindt hij dat hij straf verdiend heeft. Hij heeft al een paar keer over u gesproken, hij zegt dan dat u tegen hem gezegd zou hebben dat u over alles met hem nog zou praten, Klopt dat?'

Marieke zocht haar geheugen af. 'Heb ik dat?' zei ze. 'Ja, ik herinner me nu vaag dat ik gezegd heb, we praten er straks nog wel over, maar dat was meer om op een ander onderwerp van gesprek te komen.'

'Zou u het erg vinden als ik u vroeg of ik met hem bij u mag komen? Het zou kunnen dat hij bij u wat meer loslaat dan bij mevrouw Mol, de psychologe.'

Marieke schrok een beetje. 'Maar ik ben geen professioneel, ik zeg gewoon wat er in me opkomt, u mag hier best met hem komen, daar heb ik geen bezwaar tegen, maar verwacht er niets van. Voor zoiets moet je opgeleid zijn, bovendien heb ik ook geen verstand van kinderen. Ik krijg er wel eens een in behandeling na een gebroken arm of been, meer ervaring heb ik niet met kinderen

'U begrijpt dat ik alles wil proberen,' zei hij, 'ik waag het erop. Wanneer schikt het u dat we komen.'

'Overdag kan niet want ik werk hele dagen, dus moet het na vijf uur. Zullen we dan meteen maar voor morgen afspreken?'

'Ik ben Casper de Winter,' had hij bij het binnenkomen gezegd en nu zat hij tegenover haar, een man van normaal postuur, ouder dan ze had gedacht, om en nabij de veertig. Zo oud moest hij zeker ook wel zijn om kapitein bij de grote vaart te worden. Hij had donkerblond haar dat aan de slapen een beetje begon te grijzen. Een man van gezag die nu duidelijk niet op zijn gemak was. Tim stond smaller en bleker dan hij de vorige keer was geweest naast haar stoel, ze zag zijn handje aarzelend haar richting gaan en toen voelde ze het warm en wat plakkerig op haar hand. Het maakte het begin van een gesprek gemakkelijker.

'We hadden het vorige keer over iets en daarover wilde jij me nog eens spreken, 'begon ze alsof ze tot een volwassene sprak. 'Vertel eens wat wilde je zeggen?'

'Ik wil je wat vragen,' verbeterde hij.

'Dat kan ook,' zei ze, 'zeg het maar.'

'Weet je ook of die meneer van dat ongeluk nu in de hemel is?'

'In de hemel…' herhaalde ze zachtjes en ze dacht, kind als je eens wist hoeveel keer ik me dat heb afgevraagd. Wist ik het maar. Ze probeerde de tranen die wilden komen tegen te houden. Beheers je liefje, zei ze tegen zichzelf nu ben je in functie, dit kind is hier, omdat je het moet helpen. Haar blik flitste een onderdeel van een seconde naar de man aan de overkant, maar ze had de opgekomen rode vlekken in zijn gezicht gezien en ook zijn vertroebelde blik die hij van haar afwendde. Hij wist zo goed als zij dat ze hier niet samen konden gaan zitten huilen, hoewel ze dat beiden graag hadden gedaan.

'Waarom wil je dat weten, Tim?'

'Omdat mijn mammie daar ook is, zie je,' zei hij.

'O, dat weet je zeker?'

Hij knikte overtuigd. 'Ja,' zei hij, 'mijn vader zegt dat en mijn oma en opa ook, dat is zeker.'

'Heb je hun dan niet gevraagd of ze weten of Koen er ook is?'

Hij schudde ontkennend zijn hoofd. 'Hoe kunnen zij dat

nou weten, ze kenden hem immers niet.'

'Ja, dat vergat ik even,' zei Marieke. 'Waarom wil je dat eigenlijk precies weten?' vroeg ze toen. 'Waarom is dat zo belangrijk voor je?'

Hij keek een poosje naar de grond, ze zag dat zijn oortjes zich vuurrood hadden gekleurd.

'Als hij daar ook is, dan zullen ze elkaar wel eens tegenkomen en dan zal hij ook aan mijn moeder vertellen wat ik gedaan heb. Hij heeft me vermoord, zal hij dan zeggen en dat vind ik zo verschrikkelijk, want dan weet mammie het ook.'

Marieke was enkele ogenblikken zonder woorden. Lieve God, bad ze in stilte met alle respect, is het niet beter dat U zelf naar beneden komt om hem te vertellen hoe het precies zit? Ik kan het niet, want ik weet het immers niet.

Ze trok het kind naar zich toe.

'Hoor eens,' zei ze, 'zo gaat het niet in de hemel. Dat kan niet, want daar wordt alleen over mooie dingen gesproken. Dat weet ik zeker. Daar is de hemel voor, daar heeft niemand meer verdriet, zie je. Vraag er je vader maar naar en je oma en opa, ze zullen je allemaal vertellen dat het waar is.'

'Is dat zo, pappa weet jij het ook zeker?' vroeg hij zijn vader.

'Heel zeker,' bevestigde deze.

Het kind knikte en zuchtte toen. 'Ja, dat scheelt natuurlijk,' zei hij.

6

En ik zie hier ook nog de rivier net als in het dijkhuis, dacht ze, terwijl ze op de tweede verdieping van haar nieuwe aankoop stond. Ik ben nog nooit van mijn leven zo blij met iets geweest als met dit huis. Het is helemaal van mij en ik kan ermee doen wat ik wil. Dat dit zo belangrijk voor iemand kan zijn, een grote hoop bakstenen tussen twee andere huizen in, want dat is het eigenlijk. Ze wendde haar blik van het uitzicht af en keek de kamer rond, Lizzy's kamer, helemaal door haar gemeubileerd met dingen die ze in kringloopwinkels op de kop had getikt. Het was een smaakvol geheel geworden en ze had het allemaal laten staan. Maartens werkster had alleen haar kleding en andere persoonlijke dingen weggehaald, de rest mocht zij houden als ze het hebben wilde. En natuurlijk wilde ze dat. Later, als Maarten en Lizzy het dijkhuis betrokken, zou ze het met haar eigen meubelen inrichten. Ze kon zich nu helemaal op de praktijkruimte beneden concentreren. Ze liep de trap af, de vorige eigenaar had de ruimte netjes achtergelaten, bezemschoon zoals het hoorde. Het was een grote ruimte waar de tussenmuren uitgebroken waren. Dat kwam haar goed uit, de kosten van het afbreken kon ze zich sparen. Morgen zou de architect komen om zich te oriënteren en in het weekeinde zou hij zijn ontwerp klaar hebben. Ze liep de ruimte door naar de openslaande deuren naar de tuin. De afmeting van de tuin was haar meegevallen, ze had zich een kleinere tuin voorgesteld. Achterin was plaats voor een tuinhuisje, iets wat ze niet had durven dromen. Ze was eerst van plan geweest zelf te gaan hakken en snoeien maar ze had naar Thea's raad geluisterd en met Maartens tuinman afgesproken dat hij de tuin helemaal in orde zou maken. Laat hem wel een prijs vaststellen, had ze gewaarschuwd en ook dat had ze gedaan. Marieke glimlachte, mak als een lammetje ben ik, dacht ze. 'Ik zeg dit tegen al mijn klanten die het zich enigszins kunnen permitteren,' had Thea gezegd en vooral als ze allebei een baan hebben. Jij bent alleen, dan is het helemaal een grote klus, je moet overal zelf voor zorgen. Denk eens aan de afvoer van het afval. Als je alles laat doen is dat er ook bij inbegrepen. Alle klanten vinden het heerlijk als ze in een kant en klare tuin kunnen stappen.

'Je bent een goede makelaar,' had Marieke geprezen, 'Maarten mag blij met je zijn.'

'Dat is hij gelukkig ook wel, denk ik,' zei ze peinzend voor zich uitkijkend, 'hij heeft er een woningbureau bijgekocht. Op Lizzy's naam. Ze verdient veel en dat geld moet belegd worden. Hij heeft mij gevraagd of ik er de leiding wil nemen.'

'Je vertelt het alsof het een jobstijding is, het is toch geweldig?'

'Dat is het ook maar ten eerste is er de vraag of ik het aan kan en ten tweede wordt mijn salaris bijna verdubbeld. Teun liet merken dat hij daar niet blij mee is. Nu word ik hier helemaal de loopjongen, zei hij.'

'Ik sta met een... met een mond vol tanden,' had Marieke met moeite uitgebracht. 'Ik weet echt niet wat ik zeggen moet. Wat jammer dat Teun er zo over denkt.'

Thea had haar tranen weggeslikt, ze had alleen gezegd: 'Ik denk dat er ook geen woorden voor zijn. Maar natuurlijk ben ik toch blij met mijn nieuwe baan. Het zal me ook best lukken. Voor Maarten werken heeft het grote voordeel dat hij geduldig is, hij begrijpt dat iemand ook fouten kan maken. Dat is geruststellend.'

En jij bent tot over je oren verliefd op hem, had Marieke gedacht, je zou de sterren van de hemel voor hem willen plukken. Dat kan ik me heel goed voorstellen, want het is gewoon een bijzonder aardige man. Als je het mij vraagt heeft hij wel zijn handen vol aan Lizzy, maar ze is dan ook een heel bijzondere vrouw.

Toen de architect die zaterdag net weg was met een

opdracht voor een verbouwing van haar huis op zak, belde Casper de Winter, de vader van Tim.

'Hoe brutaal het ook mag klinken, ik doe nog een keer een beroep op je. Mag ik nog eens met je over Tim komen praten?'

'Dat mag, als je maar geen wonderen van me verwacht. Hoe gaat het met hem?'

'Zo zo, hij heeft het maar steeds over het ongeluk, dat is deprimerend. We denken dat de kinderen op school hier debet aan zijn. Als je hem daar weghaalt en naar een andere school doet, loop je kans dat het daar opnieuw begint.'

'Heb je al eens met de directeur gesproken?'

'Al een paar keer, mijn schoonouders zijn bij hem geweest toen ik nog niet in het land was en later ben ik ook bij hem geweeSt. Hij is natuurlijk met de hele affaire niet blij, dat kan ik me goed voostellen. Ik heb de indruk dat hij er niets op tegen zou hebben als ik hem van die school nam.'

'Wat zegt mevrouw Mol ervan?'

'Misschien kan ik je dat beter tijdens een etentje vertellen. Heb je zin om in een leuke gelegenheid iets te gaan eten?'

'Eigenlijk helemaal geen gek idee. De architect die een plan voor mijn nieuwe huis heeft gemaakt is net vertrokken, het lijkt me een goed idee om tijdens een etentje wat stoom af te blazen.'

'Wat denk je ervan als ik je om halfacht kom halen? Tim wordt door zijn grootvader naar bed gebracht, we doen dat om beurten als ik hier ben, vandaag heb ik een vrije avond.'

Hij was prompt om halfacht bij haar aan de deur en ze reden naar restaurant De Molen, waar hij een tafeltje aan het raam had besproken. Het was toevallig hetzelfde tafeltje waaraan ze de laatste keer met Koen had gezeten. Ze merkte dat terloops op.

'Mis je hem erg?' vroeg hij.

Ze dacht even na. 'Daarvoor zagen we elkaar te weinig, denk ik,' zei ze toen. 'We waren elkaar nog aan het leren kennen en het schrijnende is dat ik hem bij onze laatste ontmoeting had willen vertellen, dat ik erachter was gekomen dat het tussen ons niets worden kon. Dat heeft hij dus nooit geweten en dat is misschien maar goed. Hij zou het verdrietig hebben gevonden en dat is hem nu bespaard. Ik ben blij dat ik hem gekend heb, ik heb veel van mijn omgang met hem geleerd. Ik weet nu bijvoorbeeld zeker dat ik nooit meer aan een dergelijke voorlopige kennismaking zal beginnen. Voortaan zal ik meteen weten of ik echt met iemand in zee wil gaan of alleen maar avondjes met hem uit eten wil en dergelijke.'

'Zoals nu met mij,' zei hij en hij keek haar met een ondeugende tinteling in zijn ogen aan.

'Inderdaad,' glimlachte ze, 'en ik geniet van zoiets als nu, het haalt je uit de gewone werksfeer, het hoort tot de genietingen van het leven, vind ik. Ik ga dit soort dingen vaker doen. Dat bedoel ik met te zeggen dat ik veel geleerd heb van mijn omgang met Koen. Het heeft me volwassener gemaakt. Wat natuurlijk niet wil zeggen dat ik het niet oneindig verdrietig vind zoals het gelopen is. Ik ben er helemaal van ondersteboven geweest. Gelukkig heb ik de broodnodige afleiding gevonden in de aankoop van mijn nieuwe huis. Ik ben druk met de verbouwing en het inrichten enzo. Het heeft me echt een duw in de goede richting gegeven.'

'En je woont zo mooi in dat huis aan de dijk. Vind je het niet jammer om het weg te doen? Of houd je het erbij?'

'Erbij?' vroeg ze verbaasd, 'waar zie je me voor aan? Ik ben geen kapitalist, hoor. Het dijkhuis is allang niet meer van mij. De koper heeft me gevraagd erin te blijven wonen tot hij het zelf betrekken kan. Het is inderdaad een fijn huis als je het onderhoud ervan kunt betalen, anders is het een blok aan je been. Mijn grootvader was een echte doe-het-zelver maar toen hij er niet meer was kon ik het huis niet meer houden. Jammer, maar zo is het nu eenmaal en nu ben ik weer gelukkig met mijn nieuwe bezit. Het staat in de stad aan de kade, ik kijk dus ook uit op de rivier. Het is niet groot, maar voor mij alleen is het gewoon geknipt. Ik heb besloten om er over een poosje een eigen praktijk te beginnen, dan blijf ik mijn werk doen terwijl alles toch anders wordt. Daar verheug ik me op. Maar voor al die verhalen van mij zitten we hier niet, je wilde over je zoon praten, vertel eens hoe gaat het met hem?'

'Ik heb met veel plezier naar jouw enthousiaste verhalen geluisterd,' zei hij, 'het doet me natuurlijk goed dat de schade die mijn jongen heeft aangebracht voor jou beperkt is gebleven, omdat hij jou niet van de partner voor het leven heeft beroofd. Met Tim gaat het wel wat beter. Mevrouw Mol denkt dat het goed is dat ik hem een keertje meeneem met een cruise. Dan is hij er eens helemaal uit, zegt ze. Dat lijkt mij ook een uitstekend idee op voorwaarde dat er iemand meegaat bij wie hij zich thuis voelt. Ik kan namelijk niet de hele tijd bij hem zijn en hij moet steeds toezicht hebben, dat is al duidelijk gebleken. Zijn grootouders zouden mee willen en een van zijn tantes ook, maar dan neemt hij toch nog een stuk van thuis mee en zal het niet veel helpen.'

'Zo iemand is toch wel te vinden,' meende Marieke. 'Je schoonvader kent vast wel verpleegsters die er graag hun vakantie aan zouden willen besteden.'

'Och, natuurlijk wel,' antwoordde hij wat lusteloos en toen kwam ineens het hoge woord eruit. 'Zou jij er niets voor voelen?' vroeg hij. 'Een cruise van veertien dagen in een riante hut met balkon, de kust langs naar Petersburg. Alles vrij plus nog een nader overeen te komen honorarium, maar wel met de zorg voor een klein kind dat je geen ogenblik alleen kunt laten.'

'Ik?' vroeg ze, ze dacht eraan hoe ze besloten had haar leven te veranderen, iets mee te maken, niet altijd op het oude stramien voort te borduren. Eigenlijk kwam dit voorstel goed van pas.

'Goed,' zei ze, 'ik doe het, dat is dan afgesproken. Wanneer zal het plaatsvinden? Ik moet er natuurlijk vrij voor vragen en allerlei afspraken verzetten, dat heeft tijd nodig.' Hij stak over de tafel zijn hand uit om de hare te grijpen trok hem vervolgens terug. 'Je bent geweldig,' zei hij, 'ik had niet durven hopen dat je erop zou ingaan. Ik, enfin, ik heb er geen woorden voor. Ik zal natuurlijk alles doen om het je naar je zin te maken. Ik zal zorgen dat je alle excursies mee kunt maken in de havens waar we komen. Je kunt met de groepen meegaan of, als je dat liever wilt, kan ik een begeleider voor je organiseren, iemand van mijn mensen. Wat je maar het liefste wilt. Voor Tim is voor die paar uur altijd een oppas te vinden.'

'Dat zien we allemaal nog wel,' remde ze hem glimlachend af. 'Wanneer zal de reis beginnen?'

'Er zijn verschillende mogelijkheden, ik heb een prospectus bij me, ik zal het je geven, dan kun je uitkiezen welke datum je het beste past.'

Ze werden onderbroken door de ober die het voorgerecht bracht. Op dat moment zag ze Maarten van Tricht, de eigenaar van het dijkhuis, aan het tafeltje aan de overkant plaatsnemen, hij was in gezelschap van zijn zuster Riet, die hoofd van een afdeling was in het ziekenhuis waar ze werkte. Ze knikten allebei naar haar, hij stak even zijn hand op, zij glimlachte terug. Ze dacht eraan dat het toch zuur voor hem moest zijn altijd of tenminste bijna altijd, zonder Lizzy te zijn. Volgens Thea ging hij helemaal op in zijn werk, dat zou natuurlijk wel schelen.

Toen ze die avond thuiskwam en het prospectus uit haar tas haalde, realiseerde ze zich pas wat ze had afgesproken. Ze ging een cruise maken en in plaats van daar rustig en ontspannen van te kunnen genieten, zat ze met een probleemkind opgescheept, vlugger dan kwikzilver, eentje die nergens met zijn vingers kon afblijven, op alle knoppen drukte die hij tegenkwam en alles probeerde open te krijgen waar verboden toegang op stond. En dat terwijl ze helemaal geen ervaring met kinderen had. Ze leek wel niet wijs! Nog met haar jas aan keek ze het prospectus door, keek naar de prijzen, schrok van de prijs van een hut met balkon. Ze liep naar de kamer staarde over de rivier waar een schip voer met vaarlichten aan. Liet zich zuchtend in een fauteuil vallen en bedacht toen als pluspunt dat ze nooit van haar levensdagen een dergelijke dure cruise zou hebben gemaakt. Zeker niet nu ze zo veel uitgaven had met de aankoop van haar huis.

Ze vertelde het aan Thea, die de volgende dag langskwam om even uit te blazen van haar perikelen met Teun. Er was hem in het vooruitzicht gesteld hoofdvertegenwoordiger te worden, maar nu had iemand van buitenaf die plaats gekregen. Hij wilde ergens anders solliciteren. 'Ik heb het hem afgeraden,' besloot ze haar verhaal. 'Je mag in deze tijd blij zijn dat je werk hebt en dan moet hij zijn lange tenen maar een beetje intrekken, vind je ook niet?'

'Dat is zo maar ik kan me goed voorstellen dat hij het er moeilijk mee heeft,' bracht Marieke voorzichtig naar voren. 'Wat wil je drinken, koffie of thee?' vroeg ze ter afleiding.

Toen Marieke later met de koffie binnenkwam zei ze wat bedrukt: 'Ik heb beloofd een cruise met Tim te maken. Ik ben er eigenlijk een beetje ingetuind, maar nu kan ik niet meer terug.'

'Jij een cruise? Met dat kind van dat verschrikkelijke ongeluk?' Thea's mond viel open van verbazing, terwijl ze de koffie van Marieke aanpakte. 'O, die vader gaat natuurlijk ook mee, dat verandert de zaak. Wordt het wat tussen jullie? Zie je hem vaak?'

Marieke zag in haar herinnering hoe hij zijn hand die hij over de tafel naar haar had uitgestoken weer teruggetrokken had, een gebaar om alles vooral zakelijk te laten

'Het wordt niets tussen ons en ik zie hem niet vaak,' zei ze de beide vragen beantwoordend. 'Ik ga mee omdat hij in nood zit. Dat kind moet er nodig eens uit en op dat schip met zijn vader in de buurt kan hij tot andere gedachten komen.

93

De psychologe bij wie hij in behandeling is, heeft dat aangeraden en het lijkt me een uitstekend idee. Maar nu ik zijn voorstel heb aangenomen, zie ik er wel een beetje tegenop. Stel je eens voor, ik heb helemaal geen ervaring met kinderen, wat moet ik de hele dag met hem uitspoken?'

Thea wuifde nonchalant haar bezwaren weg. 'Jij doet dat spelend,' verzekerde ze haar, 'en hij is er toch ook nog, hij zal heus wel zijn steentje bijdragen. En misschien is hij bij nader inzien toch iets voor jou, hij is wel weduwnaar natuurlijk, maar op onze leeftijd krijg je daar al gauw mee te maken, gescheiden of weduwnaar, een van beiden. Maar misschien wil hij nooit meer trouwen, dat kan ook. Wat is het eigenlijk voor een soort man?'

'Aardig en betrouwbaar, je zou er rustig mee op een onbewoond eiland kunnen zitten. Er zal niets gebeuren als je dat niet wilt.'

'En als je het wel wilt?'

'Ja, dat weet ik niet hoor,' antwoordde Marieke enigszins prikkelbaar, maar ze dacht, dan zal er zeker van alles gebeuren en daarom zou ik ook nooit met hem naar een onbewoond eiland gaan.

Zes weken later begon ze haar cruise, ze had in overleg met Thea Thea's ouders bereid gevonden in haar afwezigheid op het dijkhuis te passen. Ze had Maarten erover opgebeld en hij was diezelfde avond nog bij haar gekomen om haar voor haar goede zorgen te bedanken.

'Het ziet ernaar uit dat je verblijf hier ten einde loopt,' zei hij bij die gelegenheid, 'Lizzy verwacht namelijk een baby en wil drie maanden voor de geboorte ophouden met werken. Ze wil dan graag hier haar intrek nemen, tenminste als het je lukt om tegen die tijd je nieuwe huis te betrekken. Thea zei dat je dan al lang klaar bent met je huis, klopt dat?'

'Dat klopt helemaal,' bevestigde ze, 'de laatste hand wordt er volgende week aan gelegd. Dat komt dus allemaal prachtig uit. Wat leuk voor jullie dat er een baby komt, hartelijk gefeliciteerd. Lizzy zal er zeker ook wel erg blij mee zijn?'

'Ze is in de wolken,' glimlachte hij voor zich uitstarend, 'ja, in de wolken, dat kun je wel zeggen. Ik ben natuurlijk ook erg blij,' voegde hij eraan toe. 'Lizzy wil een paar maanden na de geboorte weer aan het werk en toch veel het kind bij zich hebben. Dat zal nog een hele organisatie worden. Maar dat zien we allemaal dan wel,' zei hij opstaand om te vertrekken. 'Ik wens je een heel fijne vakantie. Tegen de tijd dat Lizzy thuiskomt neem ik vroegtijdig contact met je op, zodat je hier niet overhaast hoeft te vertrekken.'

Later, toen hij weg was, zat ze een poos verslagen in haar stoel. Ik weet al zo lang dat het huis niet meer van mij is, maar nu gaat het pas pijn doen, dacht ze. Vreemd is dat. Het is net of er iets van me afgesneden wordt, een soort operatie. Nu zou hier straks een wieg staan en je zou het huilen van een kind horen, dingen die ze ooit voor zichzelf had gereserveerd die nu een ander ten deel zouden vallen. Goed dat die cruise er was.

En nu was het dan zover. Ze was samen met Casper en Tim aan boord gekomen. Onderweg had Casper gezegd: 'Ik heb mijn werk op het schip, we zullen elkaar niet vaak zien. Ik heb het geregeld dat je zo veel mogelijk van je vakantie kunt genieten. De tweede stuurman zal je op de excursies begeleiden, jullie kunnen voor alle anderen van boord, dan hoef je niet in die lange rijen te wachten. Tim wordt in die tijd verzorgd door de stewardess van je hut, ze is zelf moeder van drie kinderen, dus dat zal wel gaan. Dan stel ik voor dat ik zo vaak als dat mogelijk is met Tim de lunch gebruik. Dat geeft je ook een mooi stukje vrijheid.'s Middags kan hij een paar uur naar de speelzaal om wat contact met andere kinderen te hebben. Mevrouw Mol adviseerde me dit en het lijkt me een goed idee, vooral ook met het oog op jouw vrijheid. Hoe lijkt je dat allemaal?'

'Geweldig,' zei ze. 'Ik had op een werkvakantie gerekend, maar het is bijna allemaal genieten geblazen.'

'Dat moet ook,' hij glimlachte haar toe. 'Ik hoop dat we later onze etentjes in de stad kunnen voortzetten. Dan heb ik iets om me op te verheugen als ik van een reis thuiskom. Met het oog op Tim maak ik voorlopig alleen reizen in Europa. Als het beter met hem gaat, moet ik mijn tijd in het Caribische gebied uitdienen, maar dat zal niet eerder dan volgend jaar zijn.'

De zorg voor Tim viel haar honderd procent mee. 's Morgens gingen ze samen naar de grote eetzaal om te ontbijten. Terwijl ze aan het buffet hun keus voor het ontbijt maakten, probeerde Tim een gesprek met de andere gasten aan te knopen. Als ze hem niet verstonden omdat ze een andere taal spraken, zocht hij onverstoorbaar een nieuw slachtoffer. Na een paar dagen wist hij precies bij wie hij terecht kon. Ze hadden allemaal plezier in het vrijmoedige jongetje. Hij vertelde uitgebreid over zijn vader die de baas was op het schip. Hij deed verhalen die soms iets bezijden de waarheid waren, maar hij vond het zelf prachtig en de andere gasten vermaakten zich ermee, daarom liet Marieke hem maar rustig begaan.

Ze zochten samen boeken uit de goed voorziene bibliotheek en Marieke begon met hem voor te lezen. Toen ze merkte dat zijn aandacht verslapte, keerde ze de rollen om, ze vond dat hij haar nu eens moest voorlezen. Dat werd een groot succes want hij las uitstekend. Hij had er ook plezier in. Soms onderbrak hij een zin en vroeg: 'Wat was de laatste zin?' De eerste keer had ze niet goed opgelet en gaf het verkeerde antwoord. 'Daar had ik je mooi te pakken,' triomfeerde hij. Het voorlezen bleek een schot in de roos te zijn, hij vroeg er iedere dag na het ontbijt om.

Tegen lunchtijd gingen ze terug naar de hut waar Maria, de Filipijnse stewardess, op hen wachtte om Tim naar zijn vader te brengen. Maria bracht hem na de lunch naar de speelzaal waar Marieke hem na enkele uurtjes weer ophaalde. Ze deden dan meestal spelletjes aan het dek, soms met andere kinderen die zich bij hen voegden. Na de avondmaaltijd ging Tim naar bed en Marieke bleef in de hut. Ze durfde hem nooit alleen te laten maar had er ook geen behoefte aan.

Ze verslond boeken tijdens die avonden en ontdekte dat ze daar thuis maar zelden tijd voor had en hier ging het vanzelf, omdat ze door Tim aan de hut gebonden was. Ze dacht er niet over om hem ook maar een ogenblik alleen te laten.

De tijd vloog om. Ze genoot van de excursies in de verschillende plaatsen die ze aandeden. De tweede stuurman bleek aangenaam gezelschap, hij vertelde haar over zijn twee zoontjes die hij node na iedere reis weer achter moest laten, de enige schaduwzijde aan zijn interessante baan.

In Petersburg gingen ze niet alleen op stap, ze voegden zich bij een groep die geleid werd door een Russische gids die uitstekend Nederlands sprak, maar nog nooit in Nederland was geweest

Na Petersburg begon de terugreis, Casper bleef in Dover en zij ging met Tim naar Nederland, waar Tim afgehaald werd door zijn grootouders. 'Ik bel je op zodra ik weer in Holland ben,' had Casper gezegd, 'ik verheug me op ons volgende etentje. Je weet dat mijn dank voor wat je voor Tim hebt gedaan door mij niet in woorden is uit te drukken. Het heeft hem zichtbaar goed gedaan, hij is veel meer op zijn gemak dan hij in tijden is geweest. Hij heeft tegen mij ook met geen woord gerept over het ongeluk.'

Bij haar was het onderwerp ook niet ter sprake gekomen, gewoon omdat hij geen tijd had gehad eraan te denken. Alle nieuwe dingen om hem heen hadden hem te veel in beslag genomen.

Marieke was die avond nog maar net thuis toen de telefoon ging, het was Thea.

'O, wat fijn dat je er al bent,' was het eerste dat ze zei, 'ik zit met een groot probleem. Ik vind het wel erg dat ik je ermee moet lastigvallen zo vlak voor je weer aan het werk moet. Heb je een fijne vakantie gehad? Dat mag ik je eerst wel eens vragen. Gelukkig, dat het fijn was dan kun je in ieder geval beter verwerken wat ik je nu ga vragen.'

'Is het zo erg?' grapte Marieke argeloos.

'Ik vind van wel en de baas ook. Anders had hij het je zelf wel gevraagd, maar vuile karweitjes laat hij me graag opknappen, dat is zo ongeveer het enige negatieve wat ik van hem zeggen kan.'

'Kom er dan maar meteen mee voor de dag,' moedigde Marieke aan, ze was nu wel nieuwsgierig geworden.

'Lizzy komt over twee weken vier dagen hier en dan wil ze graag in jouw huis, nou ja, het is jouw huis niet meer, maar het betekent wel dat je binnen twee weken moet verhuizen, twee weken is kort dag en dat voor vier dagen. Eigenlijk is het zelfs idioot, maar het past me natuurlijk niet om dat tegen Maarten te zeggen. Hij denkt er in zijn hart precies zo over, maar zoiets kan hij tegenover mij natuurlijk niet over zijn eigen vrouw zeggen. Hoe denk jij er zelf over? Denk je het überhaupt te kunnen realiseren? Het is natuurlijk een heksentoer. Dat stel moet ook behoorlijk kunnen slapen en in jouw huis is er nu geen slaapkamer met twee bedden. Behelpen wil Lizzy zich niet, dat is niets voor haar.'

'Nee…' zei Marieke langzaam, 'nee…' ze zag in een flits Maarten voor zich, zijn gezicht dat gestraald had toen hij haar verteld had van de baby die in aantocht was, de zorgelijke trek die verschenen was, toen hij vertelde dat Lizzy als het kind twee maanden was weer aan het werk wilde gaan en dan het kind bij zich wilde hebben. Hij zou het nog moeilijk genoeg krijgen met al Lizzy's wensen.

'Och,' zei ze toen, 'we zetten alles op alles en proberen het gewoon. Je moet me natuurlijk wel helpen. Ten eerste hebben we een verhuizer nodig, een die ons op onze wenken bedienen kan op het moment dat wij dat nodig vinden. En op staande voet een behanger die de slaapkamer van mijn opa en oma zo gauw mogelijk moet behangen. Zo kan dat stel er niet in, een fris papiertje op de muur maakt alles meteen anders. Zonder gordijnen kunnen ze ook niet, we moeten dus een stoffeerder hebben, we redden het wel, Thea. Kom morgenochtend maar meteen hier, dan kunnen we alles verder bespreken. Het komt goed uit dat ik morgen nog niet hoef te werken.'

'Marieke, je bent een engel,' zei Thea uit de grond van haar hart.

'Ja, dat is mooi maar ik hang nu op. Tot morgenochtend.' Ze voelde ineens dat ze moe was toen ze de telefoon had neergelegd.

Ze keek om zich heen, actie is het beste middel tegen snotteren, dacht ze, terwijl ze een traan met de rug van haar hand wegveegde. Altijd was zij degene die moest troosten en helpen, de patiënten in het ziekenhuis, de ouders van Koen, Thea met haar eeuwige verhalen over Teun en haar bewondering voor haar baas, ze moest het allemaal maar aanhoren en niemand dacht ooit aan haar, ze stampvoette door een plotselinge woede daarover, zag toen het nutteloze daarvan in, kneep haar handen tot vuisten en trachtte zich te beheersen. Het komt allemaal omdat ik een beetje moe ben, dacht ze toen. Ze liep naar de open haard waar een paar flessen rode wijn stonden, nam de flesopener en maakte er een open. Ze schonk zich een glas in en ging zitten. Na een paar slokken werd ze rustiger, dat het allemaal zo plotseling ging had zijn voordelen, als dit achter de rug was zou ze meteen door alles heen zijn. De slaapkamer van opa en oma moest dus worden opgeknapt en de kamer ernaast die met een tussendeur toegang gaf zouden ze wel als kinderkamer willen gebruiken. Opa had hem als opslagplaats gebruikt, er stonden nog allerlei dingen in die weg konden, een oude trapnaaimachine onder andere. Ze zou de schilder vragen de wanden en het plafond te sauzen en de raamkozijnen te verven zodat het er daar ook ogelijk uitzag, een neutrale lichte vloerbedekking zou in beide kamers het beste zijn. Het was immers allemaal maar voorlopig, Lizzy zou heel andere plannen hebben met het huis, later als ze hier voor altijd woonden maar de toekomstige babykamer moest er toch een beetje smakelijk uitzien. En wat was eenvoudiger dan de meubelen van Lizzy van het huis aan de kade over te brengen naar hier. Ze konden dan in de bedden slapen die ze daar hadden gebruikt. Goed beschouwd was het allemaal heel simpel. Zij zou haar nieuwe huis met de dingen die hier stonden meubileren. Het moest allemaal alleen even gebeuren en daar kon Thea bij helpen. Ze had relaties genoeg met de vakmensen die ze daarvoor nodig hadden.

Haar woede was bekoeld.

Precies twaalf dagen later was het allemaal achter de rug. Marieke zat in haar eigen huis met haar eigen meubelen om zich heen en keek uit over dezelfde rivier als ze in het dijkhuis had gedaan. Ze was tevreden over de staat waarin ze het huis had achtergelaten, de bovenverdieping was opgeknapt, beneden hadden ze weinig hoeven doen. Toen Maarten na de aankoop water en electriciteitsleidingen had laten vernieuwen, was het benedenhuis ook geschilderd. Ze had verschillende meubelstukken die ze hier niet kon plaatsen, laten staan. Anders had het er ook wat te kaal uitgezien met alleen Lizzy's meubelen in de grote kamers. Thea en zij hadden tot slot overal bloemen neergezet wat het geheel best een feestelijk aanzien gaf.

Marieke had een tevreden gevoel, het was allemaal wat pijnlijk geweest maar het was snel gegaan en dat had veel bij het afscheid van haar geboortehuis goedgemaakt.

Ze zou een heel ander leven krijgen dan vroeger, ze zou meer mensen leren kennen, Het was al begonnen met een uitnodiging voor een housewarming-party van een van de collega's die pas verhuisd was, ze had de uitnodiging gretig aangenomen. Het was nuttig om een dergelijk feestje mee te maken. Als ze straks helemaal ingeleefd was zou ze ook een feest geven. Leuk vooruitzicht. Morgen ging ze eten met de nieuwe coassistent, hij had haar al verschillende keren uitgenodigd, maar nu zou het er dan van komen. Het was een heerlijk vooruitzicht dat ze nu haar eigen leven kon leven. Eerst had ze een huis gehad dat haar belastte en toen een waar ze op moest passen. Dat was allemaal voorbij Ze zou nog wat wachten met particuliere patiënten aan te trekken, ze kon dat niet zomaar doen. Ze zou eerst overleg moeten plegen met het ziekenhuis. Maar dat kwam allemaal later wel. Zo af en toe zou ze beneden even gaan kijken naar haar pas ingerichte praktijkruimte, een genot voor het oog al die prachtige nieuwe apparatuur.

Het was een goed besluit geweest de praktijkruimte beneden te situeren, trappenlopen was voor veel patiënten te moeilijk. Hier boven had ze een veel mooier uitzicht en het was ook lichter dan beneden. Ze schurkte zich in opa's stoel die ze opnieuw had laten stofferen, ze had een vrije dag genomen de enige vakantiedag die ze aan de verhuizing had gespendeerd, al het andere had ze samen met Thea in haar vrije uren kunnen doen.

Toen haar mobieltje overging keek ze eerst wie het was, Thea zou ze niet opnemen. Even geen Thea hoe dierbaar haar vriendin haar ook was maar soms moest ze even zonder haar. Het was Casper.

Hij vroeg hoe ze het maakte en zij vertelde in vogelvlucht wat er allemaal gebeurd was nadat ze elkaar voor het laatst hadden gezien.

'Mijn compliment,' zei hij, 'en dat allemaal in zo korte tijd. Knap gedaan. Ik kijk naar het ogenblik uit dat ik het resultaat van je inspanning kan zien. Ik bel je als het zover is. Pas goed op jezelf.'

Ze legde tevreden de telefoon neer. Leuk dat er iemand zei 'pas goed op jezelf'. Er was verder niemand die zich daar om bekommerde. Opa en vroeger ook tante Marie, had haar als ze van huis ging altijd toegeroepen: 'Voorzichtig, hoor.'

Ze had dat vrij banaal gevonden. Ze had zich toen niet kunnen voorstellen dat ze dat nog eens missen zou.

Ze ontdekte ineens dat ze honger had. Wat geen wonder was, want het eten was er de laatste dagen dikwijls bij ingeschoten. Er zaten enkele diepvriesmaaltijden in de vriezer, maar daar had ze geen trek in. Ze zou gewoon naar het restaurant gaan waar ze anders altijd met anderen kwam. De gerant kende ze, ze had hem als patiënt gehad na een skiongeluk. Ze zou hem bellen voor een mooi plaatsje aan het raam. Dat was nu het voordeel van in de stad wonen, ze kon een glaasje wijn bij het eten nemen, nu ze die smalle weg over de dijk naar haar vroegere huis niet meer hoefde te rijden. Ze kon nu naar het restaurant lopen, na de maaltijd ging ze dan nog een korte wandeling maken.

Het leven was heerlijk. Dat dacht ze weer toen ze door de gerant naar haar plaats bij het raam werd geleid. 'We zullen je vast wel eens vaker zien, nu je in de stad woont,' zei hij, 'ik breng je een welkomstdronk van het huis. Een glas witte wijn, neem ik aan?'

'Graag,' zei ze, 'je hebt het goed onthouden, Gerard. Gaat het weer helemaal goed met je knie?'

'Dankzij jouw goede zorgen gaat het gelukkig steeds beter.'

Toen Gerard weg was zag ze Maarten van Tricht de zaal binnenkomen, hij merkte haar meteen op en liep naar haar toe. 'Wat goed dat ik je tref,' zei hij, 'nu kan ik je even zeggen dat Lizzy en ik van plan zijn je volgende week samen heel hartelijk te bedanken voor alles wat je voor ons hebt gedaan. Het huis ziet er prachtig uit. Het is niet te geloven dat je dat allemaal in zo korte tijd tot stand hebt gebracht.'

'Fijn dat je tevreden bent,' zei ze, 'maar vergeet niet dat Thea en ik het samen hebben gedaan, alleen had ik het niet gered. Ga zitten,' zei ze toen, 'ik neem aan dat je ook alleen bent.'

'Mag ik?' zei hij verrast. 'Je weet niet half hoe welkom

me deze uitnodiging is. Lizzy's komst is uitgesteld, ze moet eerst nog voor een opname naar Istanboel. Ze zei dat ze het onmogelijk kon afzeggen en dat zal ook wel zo zijn maar het neemt niet weg dat ik al dat vliegen zorgelijk vind in haar toestand.'

'Vliegen is de minst gevaarlijke manier om je te verplaatsen,' zei Marieke troostend 'en ze hoeft er alleen maar bij te gaan zitten.'

Hij lachte. 'Jij denkt natuurlijk aan de afgelopen dagen toen je moest rennen om het huis op orde te maken, toen kon je er niet bij gaan zitten. Och, je hebt gelijk, het zal wel meevallen.'

Hij zag de ober aankomen. 'Ik hoop dat ik je voor deze maaltijd mag uitnodigen,' zei hij.

'Ja, gezellig, Gerard heeft me ook al een welkomstdrank van het huis aangeboden, ik leef vandaag helemaal 'op de geef' om zo te zeggen.'

'Dat heb je ook hard nodig,' spotte hij, haar glimlachend aankijkend. Hij dacht natuurlijk aan de grote som die hij haar voor het huis had betaald.

'Spot jij er maar mee,' zei ze, 'vergeet niet dat ik grote uitgaven heb.'

'Is je huis naar je zin geworden?'

'O, ja,' zei ze, 'honderd procent, kun je wel zeggen. Lizzy en jij moeten het eens gauw samen komen bekijken.'

'Graag,' zei hij, 'ik kan je niet vertellen hoe erg ik verlang naar een gewoon leven met haar. Nu komen we nergens aan toe.'

De ober had de witte wijn gebracht, ze dronken elkaar toe.

'Kop op,' zei Marieke, 'ook in moeilijke tijden is het leven een feestje. Je moet dan soms even naar fijne momenten zoeken.'

'Dit is er één van,' zei hij

Later toen ze thuis was, dacht ze : jammer dat mannen als Maarten niet bij bosjes vrij rondlopen, dan was er voor mij misschien ook wel een exemplaar bij. Ik moet trouwens oppassen dat ik niet net als Thea aan een Maartenverering ga doen. Het huis lijkt me nu kaal en, hoewel het kleiner is dan het dijkhuis lijkt het me veel te groot voor mij alleen, maar dat is onzin. Het lijkt leeg, omdat er nog geen bloemen en planten staan. Die ga ik morgen kopen en dan wordt alles goed. Het leven is immers een feestje.

7

Eline keek naar de lege stoel waarin Doro de laatste maanden gezeten had als ze niet in bed had gelegen. Hoelang zou het duren voordat ze eraan gewend was om hier alleen te zijn? Het was nu precies vier maanden geleden maar het voelde of het gisteren was gebeurd. Ze had nog een halfjaar geleefd na haar laatste ziekenhuisopname. Eline geloofde dat ze voor Doro zelf een marteling waren geweest maar, zij was blij met iedere dag dat ze haar moeder nog had gehad. Haar moeder...Ze had nooit laten merken dat ze wist van wat haar moeder voor haar verborgen had willen houden. Ze had er geen behoefte aan gehad erover te spreken. Ze had het trouwens ook niet aangedurfd, bang als ze was haar te veel op te winden toen ze steeds zwakker en zwakker werd. Maar haar woede op haar onbekende biologische vader was er door toegenomen. Hoe had hij haar moeder destijds toch zomaar in de steek kunnen laten. Hij scheen helemaal niet meer naar haar te hebben geïnformeerd toen hij haar met wat geld voor de abortus weg had laten gaan. Ze moest toen toch ook al datzelfde schuwe verlegen schepseltje zijn geweest. Pappie zou zoiets nooit gedaan hebben. Ze noemde haar adoptiefvader nog altijd pappie, dat zou ze blijven doen want hij was de beste vader van de wereld voor haar geweest. Iemand als meneer Hoekstra die nu haar voogd was zou dat evenmin ooit hebben gedaan, fatsoenlijke mensen deden zoiets niet. Zoiets verwachtte je van loverboys en soortgelijke. Wie weet hoeveel buitenechtelijke kinderen hij had rondlopen, ze zou de enige wel niet zijn.

Ze wist nu wel wie hij was. Ze had in de papieren van haar adoptiefvader het adres gevonden van zijn vrouw die destijds naar Kaapstad was verhuisd en die ze toen ze klein was mammie had genoemd Ze had haar om inlichtingen gevraagd. Hoewel ze niet verwacht had ooit antwoord te zullen krijgen, had ze direct teruggeschreven. Ze had ook een

Nederlands tijdschrift opgestuurd waarin een verhaal over hem stond. Nu ja, niet direct over hem maar over zijn vrouw. Hij was getrouwd met het bekende fotomodel Lizzy, van wie Eline nog nooit had gehoord. Er stond een foto van die Lizzy in dat tijdschrift, een mooie meid natuurlijk. Dat moest ook wel als je fotomodel was van wereldbekendheid. Eline keek laatdunkend naar haar beeltenis in het tijdschrift, een poppengezichtje met blond krullend haar, haar stiefmoeder. Ze was naar de redactie toe geweest en had daar bot gevangen. Ze had gewild dat ze een artikel zouden schijven over de echtgenoot van die mooie Lizzy, waarin dan uit de doeken werd gedaan hoe hij met zijn buitenechtelijke dochter omging. Maar ze hadden ervoor bedankt. Zij is voor ons belangrijk, hadden ze gezegd, niet haar man. En als dergelijke onthullingen later niet waar bleken te zijn kregen ze er alleen maar last mee. Iedereen kon wel zeggen dat ze een dochter was van die en die. Ze had er immers geen bewijzen voor. Er stond in het artikel dat hij een belangrijke zakenman was, een van de belangrijkste makelaars in zijn omgeving.

Jammer dat ze niets voor dat artikel over haar voelden. Als hij zo belangrijk en zo bekend was in zijn buurt had hij er lekker veel gezichtsverlies door geleden. Ze zou iets anders moeten verzinnen om hem pijn te doen, maar wat?

Ze zat nu in de examenklas en zou over niet al te lange tijd eindexamen doen. Ze moest dan een studierichting kiezen, ze wist nog steeds niet welke, maar tegen september zou ze dat zeker weten. Bang dat ze dan voor een bepaalde studierichting niet meer in aanmerking zou komen, was ze niet. Ze had immers altijd de beste rapportcijfers van allemaal, waarom zou dat voor het eindexamen niet lukken? Dat telde voor een toelating. En als het dan toch niet lukte? Geen nood, dan koos ze een studierichting waar ze nog wel voor in aanmerking kwam. Als die haar niet beviel, switchte ze maar weer. Na Doro's overlijden bleken haar financiën er niet slecht uit te zien, pappie had haar wat nagelaten en van Doro had ze dit huis geërfd, door haar overlijden vrij van hypotheek. Meneer Hoekstra had haar aangeraden het te verhuren als ze een stekje had gevonden in de stad waar ze ging studeren. Hij had beloofd om samen met de notaris voor alles te zorgen. Ze hoefde alleen maar te zeggen hoe ze het wilde. Het was natuurlijk fijn dat ze rustig zou kunnen studeren zonder direct een bijbaantje te moeten zoeken. Het was ook een voordeel dat ze na Doro's overlijden in dit huis had kunnen blijven. Hoekstra had haar laten kiezen, naar het internaat gaan waar Doro haar komst al had voorbereid, naar de familie Hoekstra tot na haar eindexamen of hier in dit huis blijven wonen tot na haar eindexamen, maar dan wel onder toezicht van de familie Hoekstra. Ze had voor het laatste gekozen maar, het alleen zijn was haar niet meegevallen. Ze was dikwijls bij de Hoekstra's, ook al omdat ze Fleur hielp met haar huiswerk. Maar Fleur had tegenwoordig een vriend en daardoor waren ze met het huiswerk veel vlugger klaar dan vroeger. Dan ging ze weer naar huis naar de vrijheid waarvan ze ooit zo had gedroomd. Het kwam natuurlijk ook door dat mislukte bezoek bij de redactie van dat weekblad dat ze zich zo, ja ze wilde eerlijk zijn tegenover zichzelf, dat ze zich zo ongelukkig voelde. De tranen liepen haar soms zomaar over de wangen. Alleen zijn was best prettig, dat had ze altijd zo ervaren, maar nu voelde ze zich door iedereen in de steek gelaten en dat was heel iets anders. Voor haar geboorte was dat al begonnen, haar ouders hadden haar zo gauw mogelijk kwijt gewild. Doro had zich later bedacht, maar ze had haar dan toch maar wel weggegeven. Haar adoptiefmoeder had het al gauw voor gezien gehouden en was met een andere man naar Zuid-Afrika vertrokken, pappie was overleden. Daar had hij wel niets aan kunnen doen, maar ze was daardoor wel aan Doro teruggegeven. En nu Doro dood was, zou er nooit meer iemand zijn die zich om haar bekommerde. De familie Hoekstra hield tot ze achttien was nog een hand boven haar hoofd en daarna niets meer.

Dan moest ze het zelf uitzoeken. Helemaal alleen.

Soms vloog het haar aan, dan zocht ze haar toevlucht in het huiswerk voor de volgende dagen. Mede daardoor kwam het dat ze op school steeds beter ging presteren. Maar als dat eindexamen achter de rug was, wat dan? Ze moest een richting kiezen en dat kon ze niet want er was niets wat haar echt interesseerde. Ze had het gevoel dat ze dan aan de rand van een afgrond zou staan, ze was er bang voor, ze wilde daar niet aan denken.

Op een avond toen ze op het punt stond naar bed te gaan, werd er gebeld en op hetzelfde ogenblik ging de telefoon. Ze nam de telefoon op voor ze naar de voordeur ging, Fleur was aan de lijn.

'Ik ben het,' zei ze, 'ik sta hier voor de deur, laat me alsjeblieft binnen, ik moet je iets vertellen. Ik bel maar even, omdat je anders misschien niet open doet nu het al zo laat is.'

Fleur kwam bijna strompelend en met een behuild gezicht binnen toen ze de voordeur voor haar open had gedaan. 'Wat is er gebeurd?' vroeg Eline verschrikt. 'Heeft er iemand een ongeluk gehad?'

'Een ongeluk? Dat kun je wel zeggen ja, pap en mam gaan scheiden, denk je dat eens in, scheiden.'

'Het is niet waar,' was het eerst dat Eline uitbracht, ze moest meteen denken aan wat Doro dikwijls over de familie Hoekstra had gezegd: het is een familie waarin alles nog gaat zoals het hoort en wat je maar zelden meer aantreft. Ik ben zo blij dat ze daar zo op je gesteld zijn. Dat vertrouwen in de Hoekstra's had haar er natuurlijk ook toe gebracht meneer Hoekstra te vragen haar voogd te worden.

'Het is maar al te waar,' zei Fleur, ze snoot haar neus, veegde met haar zakdoek over haar ogen, 'hij is vanavond vertrokken.'

'Laten we naar binnen gaan,' stelde Eline voor, 'dat praat gemakkelijker. Je moet me alles vertellen want ik weet niet wat ik hoor. Is dat allemaal zo plotseling gekomen?'

'Frans zegt dat er al een hele tijd iets speelt. Frans studeert in Utrecht, waar pap immers hoogleraar is en zo vanaf het eerste ogenblik op de hoogte was van alles wat er is gebeurd.'

Ze zaten nu naast elkaar op de bank in de zitkamer. 'Wil je iets drinken? Zal ik thee zetten of wil je een cola?' vroeg Eline.

Fleur bedankte en snoot weer haar neus. Ze schudde haar hoofd. 'Ik heb het gevoel dat het leven nooit meer normaal wordt. Pap en Frans zijn het huis al uit en als ik straks ga studeren is mam helemaal alleen. Dat is toch niet voor te stellen. En ik, onnozele gans, dacht dat ze het altijd leuk met elkaar hadden. Maar het schijnt vorig jaar al begonnen te zijn. Die bewuste Saartje, op wie pap verliefd is, is bij hem gepromoveerd. Er is toen iets tussen hen geweest en daar is mam achter gekomen. Frans zegt dat pap toen de relatie met Saartje verbroken heeft, maar dat mam toch steeds over haar blijft zeuren en dat pap dat zat is. Dat hij daarom is weggegaan. Mannen trekken altijd partij voor elkaar, denk ik.'

'Misschien komt het nog goed,' opperde Eline voorzichtig, 'als je moeder nu eens niet meer zeurt over wat gebeurd is. Ze kan het toch niet meer terugdraaien en als ze blijft mokken, heeft ze niets meer. Misschien is het juist goed dat je vader weg is gegaan. Je moeder ziet nu misschien in dat ze daarmee niets bereikt.'

Fleur schudde treurig haar hoofd. 'Daar is het te laat voor,' zei ze, 'het is uit en voorgoed. Pap komt niet mer terug, daarvoor zit hij veel te hoog in de boom, zal ik maar zeggen. Mam heeft haar kans gehad. Ik vind het zo zielig voor haar, ze wilde de breuk op haar manier helen, denk ik. Ze wilde met hem op reis, ze had stapels reisprospectussen gehaald, ze wilde echt opnieuw met hem beginnen. Maar ze bleef wel mokken, ik geloof dat het waar is wat Frans zegt. Zo is ze. Als je iets verkeerd hebt gedaan, moet je niet denken dat je zomaar met haar verder kunt. Ze laat je dat nog een hele poos merken. Pap weet dat en daarmee had hij best rekening kunnen houden.'

Toen Fleur uitgesproken was ging de huisbel weer over. 'Dat zal Frans zijn,' zei Fleur. 'Mam weet niet dat ik hier ben, ze maakt zich altijd zorgen als ik 's avonds laat alleen over straat ga. Ze zal ook moeten aanvaarden dat ik zo langzamerhand volwassen ben. Maar och, het is natuurlijk goed bedoeld.'

Terwijl Eline naar de deur liep om Frans binnen te laten, dacht ze eraan dat Doro ook altijd bezorgd was als ze 's avonds laat alleen thuiskwam. Ze had zich er ook aan geërgerd, net als Fleur nu. En nu wilde ze wel dat Doro er nog was om zich bezorgd over haar te maken. Inconsequent natuurlijk.

'We vallen jou lelijk lastig, 'begroette Frans haar terwijl hij haar op beide wangen kuste, 'maar dat komt ervan als je zo goed als tot de familie behoort. Is Fleur al een beetje bedaard? Ze was nogal overstuur toen ze van huis wegging.'

'Het gaat wel,' zei Eline, 'het is allemaal vreeslijk naar. Ik ben behoorlijk geschrokken. Denk jij ook dat het nooit meer goed komt?'

Frans haalde alleen zijn schouders op. 'Je ziet er goed uit,' zei hij toen, terwijl ze samen naar de kamer liepen, 'volwassen, zou ik bijna zeggen. Ik heb je ook in lang niet gezien. Je hebt het zelf al niet zo gemakkelijk en nu komen wij je ook nog lastigvallen.'

'Jullie vallen me nooit lastig,' antwoordde ze kort. 'En Fleur is al een beetje opgeknapt, zoals je ziet.'

'Hallo,' begroette Fleur haar broer. 'Hoe is het met mam?'

'Gelukkig weer goed genoeg om zich zorgen over jou te kunnen maken. Je was nogal overstuur en je had niet gezegd waar je naartoe ging. We veronderstelden allebei wel dat je naar Eline was gegaan.'

'Ik moest het iemand vertellen en natuurlijk ga ik dan

naar Eline. Het blijft verschrikkelijk, maar nu ik erover gepraat heb, lijkt het niet meer zo erg. Het heeft gewoon geholpen.'

Ze stond op. 'We moeten weer naar mam. We kunnen haar nu niet alleen laten.'

'Ze is haar vriendinnen aan het bellen. Ze heeft morgen een grote bridgedrive, die heeft ze afgezegd. Ze was bezig een vervanger te zoeken,' zei Frans. 'Ze kan het natuurlijk niet opbrengen om morgen doodgemoedereerd te gaan zitten bridgen, maar het zou wel beter voor haar zijn geweest.'

Toen Frans en Fleur vertrokken waren, bleef Eline wat beduusd achter na alles wat ze gehoord had. Op Fleurs vader had ze huizen gebouwd en nu bleek hij ook maar gewoon een van de velen. Wat zou Doro ervan gezegd hebben? Ze had de familie altijd een voorbeeld voor iedereen gevonden en nu zat er ook al een smetje op. Maar een op de drie echtparen ging scheiden, misschien kon je tegenwoordig gescheiden ook nog een voorbeeld zijn. Ze lachte wrang.

Niets was wat het leek, daar was ze wel achter. Fleur had gezegd dat hun probleem nog even erg was als voor ze hier kwam, maar dat het geholpen had dat ze erover met haar had gepraat. Zou het helpen als ze Fleur van haar problemen vertelde? Dan zou ze moeten prijsgeven wat Doro altijd zo krampachtig verborgen had. Ze geloofde dat niemand behalve de notaris en de huisdokter wist dat Doro haar moeder was geweest. Zelfs de familie Hoekstra niet.

Een paar dagen later, toen ze samen hun huiswerk hadden gemaakt, begon Eline erover. Zomaar, zonder enige aanleiding zei ze: 'Jij gelooft dus dat het helpt als je over je moeilijkheden met iemand praat. Ook als ze niet opgelost kunnen worden?'

'Natuurlijk geloof ik dat, ik weet het zelfs zeker. Ik zou het gevoel hebben dat ik erin zou stikken als ik er bij niemand mee terecht zou kunnen.'

Eline knikte en keek Fleur nadenkend aan. 'Ja,' zei ze

toen, 'dat is goed uitgedrukt. Je hebt soms echt het gevoel dat je erin zal stikken.'

'Jij? Jij ook? Maar je doet het zo goed, iedereen bewondert je erom. Je haalt zelfs nog hogere cijfers op school dan vroeger. In de klas zijn er genoeg die je benijden, omdat je zo jong al helemaal zelfstandig bent. Het is toch geweldig dat Doro je zomaar haar huis heeft nagelaten. Je was maar gewoon bij haar in pension en ze was helemaal geen familie van je. Of mis je haar meer dan je laat merken?'

Waarom heb ik dit aangekaart, dacht Eline. Doro had het zo goed verborgen gehouden en nu dreigde zij het aan de openbaarheid prijs te geven. Was dat niet oneerlijk tegenover Doro? Wat was oneerlijk? Ze had haar nooit beloofd erover te zwijgen, ze was er immers heimelijk achter gekomen, iets dat Doro nooit had geweten.

Ze stond op pakte haar boekentas op. 'Er is eigenlijk niets,' zei ze vaag, 'ik zit af en toe wat in de put, omdat ik nog altijd niet weet welke studierichting ik moet kiezen. Dat is alles. Het is gewoon een luxeprobleem.'

Fleur bekeek haar enigszins argwanend en toen zei ze: 'Als dat werkelijk alles is, moet je er eens met pap over praten. Hij is goed in die dingen en bovendien is hij je voogd. Hij zal het zelfs prettig vinden als je met je problemen bij hem komt.' Ze volgde Fleur de kamer uit en liep met haar naar beneden. 'Ik loop met je mee,' zei ze, 'ik heb zin om even uit te waaien.'

Voor Elines tuinhekje zei ze zacht: 'Je hebt narigheid, ik voel het. Je ziet helemaal grauw, kijk straks maar eens in de spiegel. Je hoeft me niets te vertellen wat je niet wilt, maar ik ga wel even met je mee naar binnen. Ik wil gewoon dat je voelt dat je niet alleen bent. Dat je weet dat wij er zijn om te helpen zoals jij ons helpt.'

Eline beet op haar lip, vocht tegen haar tranen, rommelde in haar jaszak om de huissleutels eruit te halen. Ze liep met Fleur achter zich aan naar de voordeur, stak de sleutel in het sleutelgat en ging naar binnen. Daar gooide ze haar tas in het halletje en vloog naar de kamer, waar ze op de bank neerviel. Met haar hoofd diep in de kussens huilde ze, het waren haar eerste tranen sinds Doro er niet meer was.

Fleur ging naar de keuken om thee te zetten Toen ze later met twee kopjes in haar handen terugkwam, zat Eline nog op de bank, ze keek verwezen voor zich uit.

'Ik heb me, geloof ik, nog nooit zo laten gaan,' zei ze. 'Wat stom van me.'

Fleur reikte haar zwijgend de thee en ging zelf met het andere kopje tegenover haar zitten.

Terwijl Eline later haar lege kopje neerzette was het alsof ze buiten zichzelf trad en ze zich op een afstand hoorde zeggen: 'Doro was niet zomaar iemand, ze was mijn eigen moeder.'

Er volgde een stilte en toen zei Fleur zacht: 'Néé, dat meen je niet'

Na enkele ogenblikken vervolgde ze: 'Maar het is natuurlijk wel waar. Hoe heb je dat zo lang verborgen kunnen houden?'

'Ik weet het nog niet zo lang. Ik ben erachter gekomen toen ze er met onze huisdokter over praatte. Hij vond dat ze het mij moest vertellen, maar dat wilde ze onder geen voorwaarde. Ze heeft nooit geweten dat ik dat gesprek heb afgeluisterd. Ik kon er niet toe komen er met haar over te praten. Ze was toen al heel erg ziek, zie je. Ik was bang dat het haar geen goed zou doen.'

'Je bent geweldig,' verzuchtte Fleur vol bewondering. 'Je hebt je moeder verloren en je hebt bij wijze van spreken geen kik gegeven. Als mam doodging zou de wereld geloof ik voor me vergaan. Je was zo dol op je vader, weet je ook waarom ze nooit getrouwd zijn?'

'Pappie was mijn vader niet, mijn echte vader was een schoft die mijn moeder geld heeft gegeven voor een abortus en later nooit meer iets van zich heeft laten horen. Hij weet niet eens dat ik leef. Doro kon er niet toe komen een abortus te laten doen. Ze heeft me gekregen en toen ben ik geadopteerd door de mensen die naast Doro's ouders in Kaapstad woonden. Doro was bij haar ouders in huis toen ik geboren ben.'

'En Doro's ouders zijn dood,' wist Fleur. 'Ik herinner me nog dat ze kort na elkaar overleden zijn. In die tijd had Frans pianoles van Doro. Ze is toen twee keer achter elkaar een poosje in Kaapstad geweest.'

'Daar weet ik allemaal niets van,' zei Eline, 'dat is allemaal gebeurd voor ik bij haar in huis kwam. Ik heb mijn grootouders nooit gekend.'

'En je weet dus helemaal niets van je echte vader?'

'Toch wel, ik heb naar hem geïnformeerd. Mijn adoptiefouders zijn gescheiden toen ik zes was. Zij is met haar nieuwe man naar Kaapstad gegaan. Ik heb haar adres in pappies papieren gevonden. Ik heb haar geschreven en wonder boven wonder direct antwoord gekregen. Ze wist wie hij was. Ze stuurde me ook een Nederlands tijdschrift op waarin een stuk over hem stond. Of eigenlijk over zijn vrouw, ze schijnt een topmodel te zijn. Lizzy heet ze. Nooit van gehoord, trouwens. Hij schijnt een bekende makelaar te zijn. Ik heb naar de redactie van dat blad geschreven en gevraagd of ze een stuk over de dochter van Lizzy's echtgenoot wilden plaatsen. Over hoe hij haar moeder behandeld heeft enzo. Maar ze wilden niet. Ze waren bang dat ze er last mee zouden krijgen, want iedereen kon wel beweren een dochter van die en die te zijn en hij was een bekende zakenman, met wie ze geen last wilden krijgen. Jammer dat ze er geen zin in hadden, het had hem toch altijd wat gezichtsverlies opgeleverd. Maar ik krijg hem nog wel op een andere manier. Ik wil mijn moeder wreken, zie je. Iemand als Doro zomaar aan haar lot over te laten. Als het nou een stoere meid was geweest die flink van zich kon afbijten, maar iemand als Doro behandel je niet zo Ik zal die Lizzy te zijner tijd ook

114

onder haar neus wrijven wat voor vlees ze in de kuip heeft. Zo draag ik dan toch een steentje bij om zijn huwelijk met Lizzy gelukkiger te maken,' spotte ze. 'Laat hij ook maar eens voelen wat verdriet is.'

'Denk je dat het jou gelukkiger zou maken?' vroeg Fleur.

'Ik zal er in ieder geval voldoening door voelen,' zei ze, 'en gelukkig word ik toch niet. Er is niemand meer bij wie ik hoor, ze hebben me allemaal laten zitten. Mijn ouders hebben me weggegeven, mijn adoptiefmoeder ging ervandoor toen ik nog heel klein was en pappie en Doro zijn dood. Soms droom ik dat ik heel hard achter iemand aanloop. Dan denk ik dat het pappie is. Maar als ik dichter bij hem kom, zie ik dat het een vreemde is. Jij kunt je dat gewoon niet voorstellen wat het is als je niemand meer hebt. Je ouders gaan nu wel scheiden maar ze zijn er nog. Ze bekommeren zich nog net zo om je als vroeger.'

'Ik mag zeker met niemand praten over wat je me verteld hebt?' vroeg Fleur toen.

Ze haalde onverschillig haar schouders op. 'Waarom eigenlijk niet? Als dat weekblad mijn verhaal had willen plaatsen, had iedereen het kunnen lezen.'

Fleur keek op haar horloge. 'Ik moet weg,' zei ze, 'moeder zal met het eten op me zitten te wachten. Ga mee, Eline ik vind het zo ellendig je hier nu alleen achter te moeten laten.'

'Lief van je, maar ik doe het toch niet. Weet je, ik denk dat het een beetje helpt dat ik er met je over heb kunnen praten,' zei ze omdat Fleur zo verdrietig keek en dat zeker graag zou willen horen.

'Ja heus, o wat ben ik daar blij om. Je had het eerder moeten doen.'

'Misschien...' zei Eline alleen.

Maar toen Fleur weg was wist ze dat het juist helemaal niet geholpen had. Ze voelde zich ellendig, duizelig en zweverig. Ze werd er bang door toen het niet ophield, ze ging rondjes om de tafel lopen, maar het was of het erger werd. Ze liep de gang op en neer, heen en terug, heen en terug. Het hielp niet, het zweet brak haar uit. Ik ben bang, dacht ze. Ik wil schreeuwen, maar er komt geen geluid over mijn lippen. Ik ben zo bang!

Toen ze zich totaal geen raad meer wist, dacht ze aan Doro's tabletten. Ze strompelde de trap op naar de badkamer, zich onderweg vastklemmend aan de leuning. Met bevende handen maakte ze het potje waar de tabletten in zaten open, ze nam er een uit, er rolden er een paar over de vloer. De ene tablet in haar hand bleef kleven omdat haar handen klam waren van het zweet. Ze likte hem op met haar tong, ze deed water in het wastafelglas, terwijl ze dronk klapperden haar tanden tegen het glas. Ze ging op de rand van het bad zitten en begon te bidden. 'O, God help me, help me.' Ze hoorde haar stem. Ik kan weer praten, dacht ze. Ze kneep haar handen samen, ik kan weer wat voelen, dacht ze. En straks wordt het nog beter, sprak ze zichzelf moed in, Doro had immers ooit gezegd dat die tabletten je het gevoel gaven dat alles bij een ander gebeurt.

Met haar ogen dicht, zich stevig vasthoudend aan de leuning, strompelde ze terug naar beneden, ze durfde terwijl ze de trap afging niet te kijken, het was of ze naar een afgrond afdaalde. Op de tast kwam ze terug in de kamer, viel op een stoel neer, ze legde haar hoofd op de tafel en duwde haar voorhoofd hard tegen het blad zodat het pijn deed.

Zo wachtte ze af tot het beter ging.

Ik zal er nooit meer met iemand over praten, besloot ze.

8

Marieke voelde zich helemaal thuis in wat ze haar nieuwe leven noemde. Het dijkhuis was, nu Maarten en Lizzy daar hun intrek hadden genomen, helemaal verleden tijd. Ze had in de tijd dat ze op het huis paste gelegenheid gehad zich ervan los te weken en nu was dat helemaal een feit en ze genoot ervan.

Vanavond ging ze weer eten met Pieter Kobbe, de coassistent met wie ze de laatste tijd een vrijblijvende vriendschap onderhield. Casper had gebeld dat hij weer in aantocht was en voor hem had ze de zaterdagavond gereserveerd. Casper wist ook dat het allemaal vrijblijvend was. Uit eten gaan was het gezelligst met iemand samen, hoewel ze ook dikwijls alleen ging. Zich kunnen laten bedienen na een dag van hard werken en altijd voor haar patiënten klaarstaan, was heerlijk ontspannend.

Terwijl ze het menu bekeken zag ze Maarten van Tricht binnenkomen en aan hetzelfde tafeltje plaatsnemen waar ze hem vaker zag. Ze had van Thea gehoord dat Lizzy in de loop van de volgende week thuis zou komen om daar de geboorte af te wachten. Die zou binnen ongeveer drie weken plaatsvinden.

'Kort dag,' had Thea misprijzend gezegd, 'ik zou het niet in mijn hoofd gehaald hebben om zo kort voor de geboorte de oceaan nog over te steken. Dat allemaal om positiekleding te showen. Belachelijk gewoon. En onverantwoord bovendien.'

Het zou wel meevallen, veronderstelde Marieke en ze vertelde Pieter dat verse zeetong haar wel wat leek. Ze kozen allebei voor de zeetong die ze later al keuvelend bij een glas Chablis oppeuzelden.

Pieter vertelde van zijn voorgenomen reizen als hij straks afgestudeerd was. Hij wilde eerst een poosje naar Amerika en het Caribische gebied en daarna naar Engeland en

Frankrijk om zijn talen bij te spijkeren. 'Mijn Engels gaat,' vertelde hij, 'maar mijn Frans is allerbelabberdst, ik ga daar naar een soort schooltje. Dat heb ik wel nodig.'

'Goed plan,' prees Marieke, 'dus je gaat er geen baantje bij zoeken?'

'Dat is inderdaad niet mijn bedoeling. Ik heb een gulle oma, dat is natuurlijk boffen.'

'Leuk,' zei Marieke, 'je brengt me op een idee, zoiets zou ik ook wel eens kunnen doen. Een schooltje voor de taal lijkt me wel wat. Maar ik weet zeker dat ik nooit lang weg zal blijven, zo steeds een paar weken per jaar, dat zijn voorlopig mijn plannen. Ik zit nu net in mijn nieuwe huis, ik wil maar kort weg en dan misschien wat vaker en alles in huis omarmen als ik weer terugkom.'

'Geen huismus dus, maar een mus met een kleine actieradius,' stelde hij vast.

'Inderdaad zoiets,' bevestigde ze, ze zag dat Maarten van Tricht afrekende toen zij aan hun dessert toe waren. Hij is natuurlijk ongedurig, dacht ze en hij houdt het nergens lang uit. Enfin, nog even en dan had hij zijn Lizzy een hele tijd bij zich.

Toen ze Casper dat weekeinde zag, vertelde hij meteen dat hij weer verre en lange reizen ging maken, hij bleef minstens zes maanden weg. Hij moest een door ziekte gevelde collega vervangen.

'Ik zal je missen,' zei hij, 'met Tim gaat het gelukkig goed zoals je weet, hem kan ik nu rustig aan de zorg van mijn ouders en mijn zuster en zwager toevertrouwen, maar jij bent niet te vervangen. Misschien is het juist wel goed, want straks moet ik je toch loslaten. Als je eenmaal de man van je leven ontmoet, zullen deze etentjes wel tot het verleden behoren.'

'De ridder op het witte paard bedoel je. Je hoort de hoefslag al, begrijp ik,' ze lachte. 'Nog niets aan de hand. Ik zou niet weten wie. Ik zal het ook meteen weten als ik iemand ontmoet voor wie ik zo veel voel dat ik er iedere morgen naast wil wakker worden. In ieder geval begin ik nooit meer aan een probeerrelatie, zoals met Koen. Dat is zenuwslopend en het leidt tot niets. Iets wat er niet is, komt niet, althans niet bij mij. Dat heb ik geleerd en dat was een pijnlijke maar goede ervaring. Het heeft ook gemaakt dat ik helemaal geen haast heb met een vaste relatie. Ik vind het leven zoals ik het nu heb heerlijk. Het mag best nog een poosje zo duren.'

Hij knikte haar glimlachend toe. 'Droom jij nog maar verder en blijf hopen en geloven in die ridder. Ik gun het je zo dat je dromen uitkomen. Je weet dat ik ze graag zelf had waargemaakt, maar ik weet dat het niet kan. Ik weet dat zonder dat ik het je gevraagd heb.'

Het was hun laatste avond voor hij naar het Caribische gebied zou vertrekken. Ze voelde iets van weemoed.

Een paar dagen later kwam Thea bij haar binnenvallen, Marieke wist dat er iets bijzonders was, want zo laat als nu was ze nog nooit gekomen, het was bijna twaalf uur in de avond, ze had al in bed gelegen.

'Maarten is plotseling naar New York gegaan er iets met Lizzy. Van Hendrika hoorde ik dat het iets heel ernstigs is. Ze is geopereerd.'

Thea zag krijtwit, haar mond beefde een beetje.

'Dat heb je er nu van, die gekke griet die daar op stap gaat, terwijl de baby haar zo voor de voeten kan rollen, 'vervolgde ze bits en met tranen in haar stem. 'Dat kind raakt ze natuurlijk kwijt. Hij zal het verschrikkelijk vinden, hij verheugde zich er zo op.'

'Je weet toch nog niets zeker,' zei Marieke, 'het kan nog best meevallen.'

Maar het viel niet mee. Maarten reisde twee dagen later alleen terug.

Ik heb afscheid moeten nemen van mijn dierbare vrouw Elisabeth en ons ongeboren kind, stond er later op de rouwkaarten. De begrafenis had in alle stilte plaats gevonden. De enkele regels vertelden meer aan verdriet dan in boekdelen kon worden opgetekend.

De ouders van Thea woonden weer in het dijkhuis en hij had zijn appartement in de stad betrokken. Op de zaak was volgens Thea niets aan hem te merken, hij was geïnteresseerd en meelevend als altijd.

Marieke zag hem twee maanden later voor het eerst terug in het restaurant waar ze dikwijls at. Ze was alleen en ze zag hem binnenkomen, hij liep op haar tafeltje toe.

'Hallo,' zei hij terwijl hij haar een hand gaf, 'dat is lang geleden.' Met een blik op het tafeltje dat voor een persoon gedekt was, vervolgde hij: 'Het is nog niet vaak voorgekomen dat ik je hier alleen heb gezien. Mag ik aanschuiven om wat bij te praten?'

'Maar natuurlijk,' zei ze verrast, 'ga zitten.'

Zo begon het. Hij sprak niet over Lizzy noch over het kind dat hij verloren had en zij liet dat zo. Het enige dat ze aan hem opmerkte, was dat hij veel en vlug sprak. Alsof hij geen stilte wilde laten optreden. Er was iets van onrust in zijn ogen wat haar helemaal niet beviel.

'Je eet dikwijls hier,' merkte hij op toen hij haar thuisbracht, 'zou je er iets voor voelen om dat een paar keer per week samen te doen. Een vaste afspraak geeft mij iets om naar uit te kijken. Ik kom vaak niet tot een fatsoenlijke maaltijd, gewoon omdat ik het niet op kan brengen ergens alleen te gaan eten of zelf iets klaar te maken. Of is er misschien iemand die daar iets op tegen kan hebben?'

Ze begon te lachen. 'Bij mijn weten niet,' zei ze, 'ik ben zo vrij als een vogeltje in de lucht. Ik wil best zo af en toe eens met je gaan eten, je belt maar op en dan zien we wel. Als ik om de een of andere reden verhinderd ben, kun je altijd met een ander een afspraak maken. Dat zal in het begin ook niet gemakkelijk gaan, misschien, maar ik denk dat het weer went naarmate je het vaker doet.'

Hij fronste zijn voorhoofd. 'O nee, alsjeblieft, aan zoiets worden meestal consequenties verbonden, dat liever niet. Mijn therapeut vond dat ik de mensen weer moest opzoeken, maar ik wil daarin wel selectief blijven. Er was trouwens meer waar de therapeut en ik het niet over eens waren, daarom heb ik de bezoeken aan hem ook gestaakt.'

'Heb je nu een ander?' vroeg ze.

'Nee, daar begin ik niet meer aan,' zei hij beslist, 'je hele hebben en houden voor iemand bloot leggen om je verdriet te overwinnen, daar geloof ik trouwens niet in.'

'Als je het alleen af kunt is dat ook niet nodig,' meende ze.

'Dat jij zo af en toe eens met me uit eten gaat helpt beter.'

'Een therapeut zonder diploma,' lachte ze.

Maar later, toen ze thuis was lachte ze niet meer. Ze keek in spiegel in de hal, ze dacht: hij vindt mij ongevaarlijk, om het zo maar te noemen. Hij weet dat hij nooit verliefd op me zal worden en hij ziet mij als iemand die zo verstandig is om dat ook niet te verwachten. Leuk compliment, hoor, ik voel me er zelfs een beetje beledigd door. Hij is een man voor wie iedere vrouw valt, zelfs ik, dacht ze. En ik weet dat ik geen schijn van kans bij hem maak. Zoiets voel je meteen. Koen zou de sterren voor me van de hemel hebben gehaald als hij daartoe bij machte was geweest, naar Casper hoefde ze maar een vinger uit te steken en Pieter zou er heel veel voor over hebben als hun etentjes tot meer uitgebreid konden worden

Ze wendde haar hoofd af van de spiegel, trok haar jas uit en legde hem op een stoel in plaats van hem netjes op een klerenhangertje te doen. Ze viel in een stoel neer en tuurde over de rivier. Ik wil een hond, dacht ze. Een hond zal wel helpen. En die etentjes met Maarten? Ik kan natuurlijk verhinderd zijn, niet aldoor, maar zo af en toe. Het is spannend om in iemands omgeving te zijn op wie je verliefd bent. Althans, dat denk ik. Ik wil het in ieder geval wel eens meemaken. Eens kijken wat het met me doet. Misschien gaat het wel over. Dat zou natuurlijk het handigste zijn.

De eerste keer dat hij opbelde met de uitnodiging ergens te gaan eten, liet ze verstek gaan, ze zei dat ze die avond bezoek zou krijgen. Ze had spijt van haar besluit toen ze de telefoon neerlegde en daarom nam ze de volgende keer de uitnodiging aan.

Maarten bleek onuitputtelijk in het uitdenken van diverse eetgelegenheden in de buurt, hij vond ze in de wijde omtrek. 'Hoe krijg je het voor elkaar om steeds wat anders te vinden,' zei ze op een keer.

'Ik moet het je toch zo aangenaam mogelijk zien te maken, je weet niet half hoe groot plezier of je me doet met deze uitjes. Ik ben nu begonnen op de dagen dat we samen uit eten gaan geen medicijnen meer te nemen. Ik hoop dat het zo langzamerhand beter gaat en dat ik over een poosje helemaal zonder kan.'

'Dat is te hopen,' zei ze, 'want dit kan natuurlijk niet altijd maar doorgaan.' Ze had er meteen spijt van toen ze het gezegd had, want ze wilde immers voor geen goud dat dit ooit zou ophouden. Hij antwoordde niet direct maar hij stopte bij de eerstvolgende parkeerplaats van de verkeersweg waarop ze reden.

'Geef me nog een paar maanden,' zei hij, hij legde vluchtig zijn hand op haar schouder, trok hem direct weer terug. 'Je weet niet half hoe hard ik eraan werk om die, ja, die wanhoop te overwinnen. Dat gevoel dat alles altijd misgaat is fnuikend. Het is alsof je steeds in een diepe schacht terechtkomt zonder de minste kans om eruit te kunnen komen. Ik ben nu zo ver dat ik tegen mezelf kan zeggen, straks gaat het weer beter. Ik weet nu dat het gevoel van wanhoop weer afdrijft al moet ik daar soms lang op wachten.'

Ze hoorde wel wat hij zei maar ze was te druk met zichzelf bezig om zijn woorden tot haar door te laten dringen. Toen hij haar even aanraakte, was ze als het ware verlamd door het gevoel dat het bij haar veroorzaakte, of er een hoog voltage stroom door haar was heengegaan dat haar een ogenblik als het ware in vuur en vlam zette, alsof ze zich aan iets brandde Een gevoel van zaligheid, dacht ze, belachelijk gewoon. Alleen omdat hij haar schouder waarover nota bene een blazer zat, even had aangeraakt. Ze was tot over haar oren verliefd op deze man en als ze het goed gehoord had, wilde hij met deze ontmoetingen nog maanden doorgaan.

'We hoeven niet altijd uit eten te gaan,' vervolgde hij, 'we zouden ook een schouwburgbezoek kunnen inlassen en eens naar de bioscoop gaan. Het filmhuis heeft dikwijls interessante films en...'

'We zien wel, 'onderbrak ze hem, 'mijn vrijheid komt een beetje in het nauw, ik kom niet meer aan mijn eigen dingen toe. Maar laten we voorlopig alles maar zo houden. Ik zal je niet abrupt in de steek laten. Vooral nu ik weet dat het resultaat heeft,' voegde ze eraan toe.

Toen hij haar later bij haar huis afzette en ze hem haar sleutelbos overhandigde waarmee hij, zoals altijd, de huisdeur voor haar openmaakt en haar de sleutels weer teruggaf, zei hij: 'Ik dank je voor al het geduld dat je met me hebt en dat je nog even met me wilt doorgaan.'

Ze glimlachte vaag naar hem. 'Het is wel goed,' zei ze, 'slaap lekker.'

In haar kamer viel ze op een stoel neer, sloeg haar hand voor haar mond. Dit gaat helemaal fout, dacht ze. Ik ben zo dikwijls met hem samen, eerst dacht ik dat het wel zou slijten, dat ik er genoeg van zou krijgen, maar het tegendeel is waar. Ik ga opzien tegen de tijd dat hieraan een eind komt, dat hij weer iemand vindt op wie hij verliefd wordt en mij aan de kant kan zetten. Ze moest ineens denken aan een patiënte die ze ooit gehad had, een jong meisje van een jaar of zeventien, achttien. Ze was uit liefdesverdriet uit een raam drie hoog gesprongen en had het er wel levend afgebracht, maar haar revalidatie had meer dan een jaar in beslag genomen.

'Ik snap niet hoe ik het ooit heb kunnen doen,' had ze wel eens gezegd, 'alles gaat immers over. Dat had ik moeten weten.'

Zij was geen achttien meer en ze wist beter, ooit zou het overgaan maar die lange weg van zoete bittere pijn dat verlangen naar iemand die niets voor haar voelde, die lange weg zou ze nog helemaal moeten afleggen. Ze dacht er weer aan hoe dichtbij hij was geweest met zijn hand op haar schouder, ze sloot haar ogen en genoot toen weer dat ogenblik. Ze soesde door en dacht eraan hoe het zou zijn als het allemaal langer zou duren. Hoe het zou zijn als hij haar in zijn armen nam en zijn wanhoop voor haar vergat en haar zijn liefde zou betuigen.

Het was enkele weken later, ze waren 's avonds naar een musical geweest in de schouwburg in een naburige stad en nu op de terugweg. Hij reed weer zonder dat tevoren aan te kondigen een parkeerplaats op en stopte de wagen.

'Ik moet je wat vertellen' begon hij, 'misschien helpt het wel als ik het eens tegen iemand uitspreek. Ik bereid je erop voor dat het niet erg fraai is wat je zult horen, het gaat over een zwarte bladzijde in mijn leven. Ik had een vriendinnetje uit mijn klas, we waren allebei zeventien. Zonder plannen te hebben voor de toekomst gingen we wel eens met elkaar naar bed. Maar soms laten voorbehoedsmiddelen het afweten en ze werd zwanger. We wisten allebei dat we niet samen verder wilden gaan, allebei zeventien en dan nog op school, wat moesten we beginnen. Mijn vader had ik het nog wel kunnen toevertrouwen, maar mijn moeder had de schande niet overleefd. Na ampele overwegingen besloten we tot een abortus. Ik was aan het sparen voor een motor, het geld dat ik daarvoor bij elkaar had was voldoende voor het ziekenhuis waar de abortus zou plaatsvinden. Doro's ouders woonden destijds in Kaapstad waar haar vader in diplomatieke dienst was en zij woonde bij kennissen van haar ouders tot ze haar eindexamen achter de rug had. Omdat ik niets meer van haar hoorde informeerde ik daar naar haar. Ze zeiden dat ze naar haar ouders was gegaan en daar haar school zou afmaken. Ik heb niet geprobeerd haar te bereiken om te vragen hoe het haar was vergaan. Ik heb nooit meer iets van haar gehoord. Maar het gebeuren heeft me al die jaren wel achtervolgd. Alle kinderwagens die ik op straat zag en dat zijn er nogal wat als je daarop gaat letten, meed ik als de pest. Ik durfde er gewoon niet in te kijken, omdat ik wist dat ik dan een baby zou zien liggen. Je besluit tot een abortus, maar vraag niet wat dat in je teweeg kan brengen. Ik was er letterlijk ziek van. Mijn ouders maakten zich zorgen, ze wilden een motor voor me kopen, omdat ze dachten dat ze me daarmee een plezier zouden doen, maar ik heb van mijn leven geen motor meer willen hebben. Ik moest er niet aan denken. Ik had natuurlijk toch contact met Doro moeten zoeken. Via Buitenlandse Zaken had ik best achter haar adres kunnen komen en de kennissen van haar ouders bij wie ze gewoond had, hadden me ook kunnen inlichten. Maar ik deed niets en dat was laf. Ze had toch de moeder van mijn kind kunnen zijn. Ik heb tijdens mijn studie en daarna verschillende relaties gehad, maar het lukte niet. De een wilde geen kinderen en koos voor een carrière, de volgende wilde niet trouwen maar wel een kind en ik was gefixeerd op een normaal gezin met een paar kinderen, voor alles wilde ik graag een kind. Misschien wel om goed te maken wat ik ooit kapot had gemaakt.

En toen kwam Lizzy.

Ik was stapelverliefd op haar en ze wilde alles en het liefst alles tegelijk. Ze wilde in de eerste plaats beroemd worden, ze was er ook zeker van dat het haar zou lukken, ze begon met schilderen en toen met fotograferen. Haar ouders waren jong overleden en hadden haar zonder middelen van bestaan achtergelaten. Mijn ouders die erachter waren gekomen dat ik alles voor haar betaalde, haar huur en haar reiskosten en cursussen waren erg op haar tegen. Ze vonden dat ze van me profiteerde.

Ze zei altijd dat ze alles wat ze me gekost had zou terug-betalen, nu dat heeft ze gedaan. Mede door haar erfenis is mijn zaak tot een ongekende bloei gekomen, ze heeft in haar korte leven veel verdiend. Toen er een kind op komst was, voelde ik me in de zevende hemel, eindelijk dan toch een kind. De rest weet je,' eindigde hij zijn verhaal met een zucht.

Bij zijn laatste woorden had hij het contactsleuteltje omgedraaid en reed zwijgend naar haar huis.

Toen hij voor haar huisdeur stopte zei ze voor ze uitstap-te: 'Het is allemaal erg moeilijk voor je, ik weet niet wat ik ervan zeggen moet. Misschien moet de tijd er over heen-gaan. Zou je er toch niet eens met die psycholoog over spre-ken?'

Hij schudde beslist zijn hoofd.

'Niet nodig, ik heb het jou verteld. Ik zou niemand weten die zo goed kan luisteren als jij en zo goed kan zwijgen. Je zwijgt zo hoorbaar, dat geeft me de nodige rust om alles op een rijtje te zetten. Toen ik zeventien was ben ik uit de impasse gekomen door me voor een grote klus in te zetten. Dat was toen mijn studie. Daardoor ben ik ook snel afgestu-deerd. Ik moet nu ook iets zoeken waarvoor ik me naast mijn werk volledig kan inzetten. De psycholoog zal zeggen dat ik mijn verdriet een plaats moet geven. Dat zeggen alle mensen die het goed met me menen tegen me. Het is een kreet die ik nooit begrepen heb, ik wil hem gewoon niet meer horen. De huisdokter raadt me aan te gaan golfen, ik heb het gepro-beerd maar in plaats van mijn gedachten bij de bal te houden concentreer ik me, door de rust om me heen waarschijnlijk, des te meer op mijn ellende. De Mount Everest beklimmen zou een beter idee zijn, dan moet iemand zijn gedachten er wel bij houden want iedere stap kan een misstap zijn.'

Ze observeerde hem glimlachend, hun blikken ontmoetten elkaar. 'Haal maar geen kunsten uit,' zei ze. 'Bovendien kun je vanaf de Mount Everest je zaak niet zo goed in de gaten houden, lijkt me.'

Er was ineens een veel ontspannener atmosfeer tussen hen dan er ooit geweest was.

Toen hij later zoals gewoonlijk voor haar de voordeur had opengemaakt en haar de sleutels teruggaf, zei hij: 'Je bent de beste therapeut voor me die er bestaat en ik dank je nogmaals voor al je geduld.' Ten afscheid drukte hij een vluchtig kusje op haar wang. 'Slaap lekker,' zei hij.

Hier kap ik mee, dacht ze terwijl ze met twee treden tegelijk de trap op liep naar haar woonverdieping. Ik verknoei mijn hele leven als ik hiermee verderga. En ik ga niet verder. Ik zoek een oplossing en ik vind er een, dat weet ik zeker, want het is een kwestie van zelfbehoud. Bij iedere ontmoeting zuig ik me meer aan hem vast. Dat kan zo niet verdergaan. Ik maak mezelf doodongelukkig. Het is oliedom om zo aan mijn gevoelens toe te geven, ik ben met alle vezels van mijn ziel aan die man gebonden. En tot nu toe heb ik er niets aan gedaan. Ik zou een hond nemen maar dat kan ik niet doe zolang ik geen eigen praktijk heb, het beestje zou veel te veel alleen moeten zijn. Bovendien zou een hond niet helpen, want ik zou me toch steeds laten verleiden om op zijn uitnodigingen in te gaan. Ik moet hier gewoon een poos weg, buiten zijn bereik, dacht ze. Ze kon in ieder geval een paar weken met vakantie gaan. Het was al een poos geleden dat ze weg was geweest, de laatste keer was de cruise met Casper en zijn zoontje Tim. Casper was in het Caribische gebied. Ze kon weer een cruise maken maar niet naar het Caribische gebied om daar Casper te ontmoeten. Dat zou alleen maar complicaties geven. Hoewel het misschien een goed idee was om tegenover Maarten voor te laten komen dat de relatie met Casper verstevigd was. Ze zou morgen op internet kijken op welke cruise ze nog mee kon. Waarheen was haar onverschillig, als ze hier maar weg was en niet kon toegeven aan zijn uitnodigingen. Op haar werk zou ze het kunnen regelen dat ze op korte termijn een poosje weg kon. Ze was zo dikwijls voor andere collega's ingevallen, ze zouden het ook voor haar doen.

Al die goede voornemens weerhielden haar er niet van om toen ze eenmaal in haar bed lag soezend zijn onnozel kusje op haar wang te herbeleven.

Stomme Trien, dacht ze, zo kom je nooit van hem af.

Het werd een cruise van drie weken die ook de Noordkaap zou aandoen. Ze zou er niet voor gekozen hebben als ze daarin vrij was geweest, maar deze had het voordeel dat hij drie weken duurde, de andere reizen waren allemaal korter.

De dagen op zee bracht ze door met lezen. De bibliotheek had ruime keus, ze begon met een detective die haar spannend genoeg leek om haar steeds afdwalende gedachten enigszins in toom te houden.

Ze wilde er ook niet te veel aan denken dat de cruise haar tegenviel zonder de faciliteiten die ze de vorige keer had gehad als gast van de kapitein. Voor de excursies moest ze nu lang in de rij staan, de vorige keer had Casper voor een begeleider gezorgd en waren ze als een van de eersten van boord gegaan. Dan was Tim er geweest, door wie ze zo gemakkelijk contact met de andere passagiers had gehad, omdat hij vrijmoedig iedereen aansprak die op zijn weg kwam. Zijn gebabbel miste ze ook.

Toen ze van haar vakantie terugkwam en de chauffeur van de taxi waarmee ze gekomen was haar koffers boven had neergezet, viel ze toen de man vertrokken was met haar jas aan in een stoel neer.

Ik ging weg om mijn verstand weer terug te krijgen, is dat gelukt, vroeg ze zich af. Ze zou het pas weten als ze hem terugzag, wist ze toen. Als het niet het geval was moest ze haar tanden op elkaar zetten en een richting zoeken om van haar leven iets te maken.

Toen ze wat gemakkelijks had aangetrokken en ging koffiezetten, werd er gebeld. Als hij het is, stuur ik hem gewoon weg, ik heb nu beslist geen zin in een gesprek, dacht ze terwijl ze de video raadpleegde. Ze zag tot haar opluchting Thea op het scherm staan en deed de deur open. Thea had in haar afwezigheid de planten water gegeven en haar post verzorgd, ze kwam haar nu een bos bloemen brengen.

'Twaalf witte rozen voor jou als welkom thuis,' zei ze, 'ik ben blij dat je er weer bent. Heb je het leuk gehad?'

'Ik ben uitgerust,' zei Marieke, 'en voorlopig hoef ik geen eten meer. Ik ben vast ponden aangekomen.'

'Onzin, je ziet eruit als een hinde die door een lampenglas kan.'

'Nooit van zoiets gehoord maar als jij het zegt zal het wel zo zijn. Alles goed? Thuis ook?'

Marieke had zich voorbereid op een klaagzang over haar huwelijk maar die bleef deze keer uit.

'Alles gaat prima,' zei ze, 'maar ik zou best eens willen weten wat onze baas in zijn schild voert. Zoals je weet wonen mijn ouders nog steeds in zijn huis, pap doet de tuin en mijn moeder houdt het huis schoon, samen met de werkster. Maar nu wil hij er zelf weer gaan wonen.'

'Een goed teken,' vond Marieke, 'hij wil weer naar het gewone leven terug, het lijkt me niet dat hij daarmee iets bijzonders in zijn schild voert.'

'Och nee, daar heb je gelijk in, ik dacht even dat hij soms een nieuwe liefde gevonden had.'

'En wat dan nog?' Marieke hoorde zelf dat haar stem snibbig klonk.

'Daar heb je natuurlijk gelijk in,' zei Thea vlug 'maar ik hoop wel dat hij deze keer eens een vrouw krijgt die bij hem past. Voor Lizzy had hij ook al zoiets buitenissigs.'

'Ik zou het maar aan hem zelf overlaten, 'adviseerde Marieke lichtelijk sarcastisch.

Thea haalde haar schouders op. 'Voor mijn ouders is het in ieder geval prettig dat ze weer naar hun eigen huisje kunnen. Vooral mijn moeder verlangt erg naar haar eigen huishoudinkje terug.'

Maarten belde haar de volgende morgen op. Na geïnformeerd te hebben hoe haar reis was geweest zei hij: 'Ik moet me bij je excuseren. Toen je op reis was heb ik me pas gerealiseerd dat ik veel te veel van je tijd in beslag heb genomen. Ik heb je mijn problemen gewoon opgedrongen en jij hebt dat allemaal aanvaard als de gewoonste zaak van de wereld.'

'Zo heb ik dat niet ervaren,' antwoordde ze ongemakkelijk. 'Maak je daarover geen zorgen. Van Thea hoorde ik dat je naar het dijkhuis teruggaat, dat lijkt me een goed teken.'

'Ik zie het ook als een teken van herstel. Ik hoor daar en ik dacht dat het een heel goed begin zou zijn om terug te gaan naar waar ik hoor. Het was een moeilijk besluit, maar nu ik de knoop heb doorgehakt heb ik er eigenlijk wel zin in. Nu wil ik je vragen om je tijd nog een keer beschikbaar te stellen. Ik wil je namelijk uitgebreid bedanken voor wat je voor me hebt gedaan en voor wat je daarmee hebt bereikt. Ik herinner me dat je zei dat je een dag extra vrij had genomen om wat bij te komen van je reis en nu vraag ik me af of je misschien vanavond bereid bent nog een keer met me uit eten te gaan. Een feestelijk etentje.'

Het overviel haar dat hij de ontmoetingen met haar wilde beëindigen. Ze had gedacht dat ze zich tegen volgende afspraken zou moeten wapenen en nu bleek dat niet eens nodig te zijn. Er kwam een gevoel van verlatenheid over haar, het zou de laatste keer zijn dat ze hem ontmoette. Wat was ze inconsequent, ze had dit immers zo gewenst en nu ze het op een presenteerblaadje kreeg aangeboden wilde ze dat het anders was.

'Komt het slecht uit?' vroeg hij vriendelijk, 'je moet er zolang over nadenken?'

'Ja, ja,' hakkelde ze van haar stuk gebracht en toen herstelde ze zich en vervolgde: 'Ik vind het aardig van je dat je me feestelijk bedanken wilt maar dat hoeft niet per se met een etentje. Ik heb wat te copieus gedineerd op het schip, dag in dag uit, ik wilde mijn maag wat rust gunnen.' Stom, dacht ze toen ze het gezegd had, nu zie ik hem helemaal niet meer terug. O, waar ben ik mee bezig!

'Geen nood,' zei hij, 'het copieuze diner stellen we uit, dan kom ik je vanavond alleen iets brengen wat ik voor je gekocht heb. Ga je daarmee akkoord? Goed, dan ben ik laten we zeggen om halfacht bij je.'

Ze realiseerde zich dat het dan de eerste keer zou zijn dat hij hier op bezoek kwam. Ze had hem nooit binnen gevraagd als hij haar kwam halen of thuisbrengen. Ze was geen moderne geëmancipeerde vrouw, stelde ze vast. Van collega's in het ziekenhuis wist ze dat zij als aanmoediging zeker iemand op wie ze verliefd waren naar binnen zouden hebben gelokt om hem te verwennen met allerlei dingen waarvan ze wisten dat het hem aangenaam zou zijn. Dat was allemaal niets voor haar, dacht ze mismoedig. Ze vond het zelfs, ja, een beetje vernederend iets te doen om zijn aandacht op haar charmes te vestigen. Bij andere mannen had ze dat ook nooit nodig gehad en ze was nu eenmaal zoals ze was.

Ze maakte in de namiddag alles voor zijn komst in orde, witte wijn in de koelkast, rode wijn wat dichter bij de open haard die ze had aangestoken, zoutjes op tafel en kaarsen aan. Ze bekeek tevreden het resultaat. De gordijnen liet ze open om van het uitzicht te genieten dat 's avonds ook een charme had door de lichtjes op de schepen die daar voor anker lagen of heel soms nog voorbij voeren met volle lichten op. Het voordeel van boven wonen was dat niemand ooit naar binnen kon kijken.

Klokslag halfacht belde hij aan.

'Wat heb je het gezellig,' prees hij toen hij binnenkwam, 'het ziet er hier uit zoals de eerste keer dat ik bij je in het dijkhuis kwam. Dat zal ook komen omdat je dezelfde meubelen hebt gehouden'

'Ik heb ze met ongeveer dezelfde stof opnieuw laten bekleden,' zei ze. 'Ik ben er erg tevreden over. Je moet altijd maar afwachten wat het wordt als je aan zoiets begint. Wil je koffie of wil je liever meteen met iets krachtigers beginnen, witte wijn, rode wijn en dan natuurlijk whisky of cognac of, ja wat is er nog meer, ik heb geloof ik alles wel,' ze zei het in één adem, ze voelde zich niet op haar gemak.

'Ik zie daar een uitstekend merk rode wijn staan,' zei hij, 'mag ik daarvoor kiezen?'

'Ik heb de fles al opengemaakt omdat ik bijna zeker wist dat je ervoor kiezen zou.'

'Kijk eens aan,' zei hij. Hij vervolgde toen ze de glazen had ingeschonken: 'Zullen we maar een dronk uitbrengen op alles wat je bij je cliënt hebt bereikt?'

'Als je dat zo vindt doen we dat,' zei ze, 'je bent immers mijn gast.'

Toen ze de glazen hadden neergezet vervolgde ze: 'Ik begrijp nog steeds niet waarom je profijt hebt gehad van onze ontmoetingen, bij mijn weten heb ik je nooit ook maar één raad gegeven.'

'Iedereen heeft me raad gegeven maar jij niet en dat is het juist. Het maakte dat ik voor het eerst kon vertellen wat me mijn hele leven geobsedeerd heeft. Het kind dat nooit geboren werd, omdat we er geen plaats voor hadden heeft niets te maken met het verlies van dat andere kind dat vurig gewenst werd. Ik geloofde zonder het te beseffen dat ik door wat ik met het eerste kind had gedaan in het tweede gestraft werd. Dat zal wel komen door mijn opvoeding, de schuld van de ene dag als het ware meeslepen naar de andere dag. Dat hoeft niet, er staan in de bijbel tientallen aanwijzingen dat het niet hoeft. Dat ben ik toen ik aan jou alles verteld had, gaan inzien. Het blijft allemaal nog even tragisch maar ik kan nu het een van het ander scheiden, dat helpt. En dat heb ik aan jou te danken, ik zou het aan niemand anders hebben kunnen vertellen, aan geen betaalde psycholoog, aan geen andere hulpverlener, aan niemand. In al die jaren niet. De rust die zo langzamerhand over me komt heb ik aan jou te danken. Je bent voor mij niet met goud te betalen. Ik heb bij de juwelier een tastbaar bewijs van mijn dankbaarheid gekocht. Je zou me een groot plezier doen als je dat zou willen aanvaarden.'

Hij haalde een klein pakje uit zijn jaszak en overhandigde het haar. 'Je mag het ook later uitpakken, als je dat liever wilt. Ze noemen het wel een vriendschapsring, zeiden ze bij de juwelier en ze verzekerden me dat ze nog nooit iemand hadden gesproken die hem niet mooi vindt. Maar je kunt hem altijd ruilen als je dat zou willen.'

'Een cadeautje moet je altijd uitpakken, heeft mijn grootvader me geleerd,' zei ze terwijl ze het strikje losmaakte en het donkerrode papier eraf haalde.

Toen ze het doosje geopend had sloeg ze een hand voor haar mond terwijl ze naar het kleinood keek, een gouden ring met rondom diamanten.

'Maarten, het is... is belachelijk. Zoiets geef je niet aan een kennis. Die ring heeft een vermogen gekost. Ik zal hem niet ruilen want ik wil hem niet eens hebben, ik kan een dergelijk kostbaar geschenk niet aannemen, dat moet je toch begrijpen?'

'Ik begrijp er niets van,' antwoordde hij, 'ik weet dat je stoer bent en rechtschapen en recht door zee en vastberaden en dat je altijd doet wat je zegt en dat je nog honderd andere kwaliteiten hebt maar doe me een genoegen en ga deze keer door de knieën, neem hem alsjeblieft aan en laat me hier niet voor schut zitten.'

Ze veegde met de rug van haar hand een traan weg.

'Ik zit hier nota bene te huilen,' constateerde ze.

'Drink maar een slokje,' adviseerde hij, 'en droog je tranen hiermee, 'hij overhandigde haar een tissue die hij uit zijn borstzak had gehaald. 'Hij is helemaal schoon,' beval hij aan.

Ze grinnikte zenuwachtig. 'Het is net een toneelstuk.'

'Inderdaad daar lijkt het op, zal ik hem nu maar om je vinger doen? Dan is hij tenminste waar hij hoort.'

Ze dronken nog een glas en hij vroeg naar de belevenissen in haar vakantie.

Na een uurtje keek hij op zijn horloge. 'Ik wist niet dat het hier zo gezellig zou worden,' zei hij, 'anders had ik geen afspraak gemaakt. Maar dat heb ik wel gedaan en daarom moet ik nu vertrekken. Ik mag je nog eens bellen voor een etentje, dat heb je al beloofd.'

Toen hij weg was huilde ze eerst haar ingehouden tranen weg. Ik beteken niks voor hem, dacht ze. Een vriendschapsring nota bene, een duidelijker bewijs daarvan was er niet.

9

Het was ruim zes weken later. Marieke had niets meer van Maarten gehoord sinds hij haar de ring had gegeven. Ze wist van Thea dat hij in het dijkhuis woonde en dat hij zich helemaal had ingezet voor een reorganisatie op de zaak. Het was goed dat ze hem niet meer zag. Bang als ze was om hem terug te zien, maakte dat ze nooit meer uit eten ging en iedere dag zelf kookte of in het ziekenhuis at. Ik word een kluizenaar, dacht ze. Het vakantiespek van de cruise was er allang af, ze wist dat ze te mager werd om er op haar voordeligst uit te zien. Naar een dokter hoefde ze niet, ze kon zelf de diagnose wel stellen: liefdesverdriet.

Ze had er nooit in geloofd dat het bestond, maar nu ervoer ze het aan den lijve. Ze moest maatregelen nemen en daar was ze vanavond al mee bezig geweest. Het was koopavond en ze had in de boekhandel vijf detectives gekocht voor het vrije weekeinde dat voor haar lag. Ze had alle boodschappen in huis en ze had besloten koste wat kost op te eten wat ze straks zou koken. En verder geen gezeur. Ze ging vanavond in bed lezen tot ze erbij in slaap viel en morgenochtend zou ze met het boek verdergaan. Het moest helpen. Ze zou in het ziekenhuis ook weer eens een paar collega's uitnodigen op een glas wijn. Zelf kon ze tegenwoordig geen wijn zien, het stond haar tegen en ze werd er misselijk van. Ze zou er die uitnodiging niet om laten, ze redde zich wel met spa of vruchtensap.

Jammer dat Casper zo ver weg was en Pieter Kobbe, die in Parijs zat was ook onbereikbaar voor een gezellig etentje of zomaar een gesprek.

Toen de telefoon ging en het Maarten bleek te zijn, was ze helemaal niet zo blij toen ze zijn stem hoorde. Ze had nu net haar maatregelen genomen om zichzelf eens stevig aan te pakken en na dit hernieuwde contact zou ze weer helemaal opnieuw moeten beginnen.

'Ik heb lang niets van me laten horen, maar dat had een oorzaak, ik moest nadenken,' zei hij 'Over de grote klus die je wilt beginnen?' vroeg ze met lichte spot. Ze zei het zomaar, om maar wat te zeggen. Maar hij antwoordde tot haar verwondering: 'Inderdaad, ik heb nagedacht over een grote klus. En ik ben tot de conclusie gekomen dat er geen beter besluit is dat ik in mijn leven kan nemen. Ik wil er vanavond met je over komen praten, schikt je dat?' 'Eigenlijk helemaal niet. Het is koopavond en ik heb net boodschappen gedaan, ik moet ook nog koken.' Terwijl ze het zei wist ze dat ze er spijt van zou krijgen als ze zijn bezoek afwimpelde en daarom vervolgde ze: 'Tegen halfnegen heb ik wel orde op zaken. Als dat niet te laat is?' 'Je ziet me om halfnegen,' zei hij prompt. 'Tot zo.'

Hij kwam ruim voor halfnegen en toen hij binnenkwam, zag ze dat hij het pak droeg waarin ze hem alleen nog maar bij een schouwburgbezoek had gezien.

'Wat ben je mooi, 'merkte ze op, 'heb je erop gerekend nog ergens te gaan eten?'

'Ik heb me uitsluitend als een hommage aan jou zo mooi gemaakt, ik wil je namelijk een heel belangrijke vraag stellen. Wil je met me trouwen?'

'Nee, natuurlijk niet,' zei ze, ze zag dat ze haar keukenschort met de afbeeldingen van grote appels en peren nog aan had, dat kwam omdat hij al voor halfnegen was gekomen,' ze trok het met een ruk uit en gooide het ergens neer. 'Natuurlijk niet,' herhaalde ze, je kunt toch maar niet zo met iemand gaan trouwen op wie je niet eens verliefd bent!'

'Zullen we gaan zitten,' stelde hij voor en hij leidde haar aan haar elleboog naar de bank voor de open haard. Hij pakte de weggeworpen schort die op de bank terecht was gekomen en hing die over de leuning.

'We passen bij elkaar,' zei hij, 'in alle opzichten, We

136

komen allebei uit een gelijksoortig nest, we hebben veel dezelfde ideeën, dat zijn goede voorwaarden voor een huwelijk. Verliefd zijn kan een huwelijk heel lastig maken en is niet strikt nodig. Goed met elkaar overweg kunnen is belangrijker. Ik zal me inspannen om van ons huwelijk een succes te maken en dat wordt het ook, daar ben ik zeker van. Je bent voor mij de belangrijkste vrouw die ik ken.'

'Tot je iemand tegenkomt op wie je wel verliefd wordt en dan zijn de poppen aan het dansen. Stel dat je een tweede Lizzy tegenkomt, wat dan?'

'Als dit bijna onmogelijke zou gebeuren zal ik nog altijd zo veel fatsoen tonen om geen poppen te laten dansen. Dat kan ik je garanderen. Trouw is ook iets dat in een goed huwelijk hoog in het vaandel moet staan. Een huwelijk is niet voor niets een grote klus.'

'Je ziet een huwelijk met mij als een oplossing om uit je depressie te komen en daar is een huwelijk niet voor.'

Hij stond op. 'Daar zal ik maar niet op antwoorden. Dan ga ik nu,' zei hij, 'ik zal het je natuurlijk weer vragen en nog eens en nog eens, je bent zomaar niet van me af.'

Hij sloot geruisloos de kamerdeur toen hij wegging, later hoorde ze voordeur luid in het slot vallen.

Hij is nijdig, dacht ze, net als ik. Nee, ik ben eigenlijk niet nijdig, ik ben beledigd, dat is het woord, ik ben beledigd omdat hij me gewoon niet ziet. Hij komt binnen, weliswaar in zijn beste pak, vraagt me met mijn keukenschort nog aan of ik met hem trouwen wil en als ik 'nee, natuurlijk niet' zeg, neemt hij spoorslag de benen. Het summum van romantiek.

Ze liep naar de keuken, ging daar verder met opruimen en deed luidruchtiger met het serviesgoed dan nodig was. Goed dat ik al die boeken heb gekocht, dacht ze.

De week daarop werd ze gebeld door Casper. 'Ik ben al een paar dagen in het land, maar ik kom er nu pas toe je te bellen,' zei hij. 'Alles goed met je?'

'Prima. En met jou?'

'Er was iets met Tim, hij moest een kleine operatie ondergaan, zijn blindedarm is eruit maar het gaat hem nu gelukkig goed. Hij is weer springlevend thuis. Ik kon een week naar Holland omdat een collega die me vervangen kon zijn verlof in het Caribische gebied doorbracht. Dit wordt mijn laatste weekeinde. Heb je tijd en zin zaterdag een dagje mee naar Amsterdam te gaan? Ik moet daar op het kantoor van mijn maatschappij zijn maar we kunnen er wat leuke dingen aan vastknopen.'

'O, geweldig!' zei ze meteen enthousiast. 'Ik kan iets probleemloos zo goed gebruiken op het ogenblik.'

'Mooi, dan kom ik je om elf uur halen, akkoord?'

Casper was een oase in de woestijn, wat zou een dagje zonder problemen haar goeddoen. Maar nu deed zich een ander probleem voor, doordat ze de laatste tijd zo was afgevallen, waren al haar kleren haar te wijd geworden. Ze had er niet veel aandacht aan besteed omdat ze in het ziekenhuis een uniform droeg en zich verder redde met een paar spijkerbroeken, die haar ooit te klein waren geworden, maar die ze nu goed kon dragen. Ze moest iets nieuws hebben om er een beetje gezellig uit te zien en dat ging ze onmiddellijk kopen. Op de klok zag ze dat ze nog een uur de tijd had voor de winkels sloten. Ze zou naar het nieuwe boetiekje gaan dat een paar weken geleden geopend was. Dat was dichtbij, ze kon het lopend bereiken.

De eigenaresse bleek een jonge vrouw die wat ouder was dan zij en meteen energiek de rekken voor haar indook.

'Meid,' zei ze enthousiast 'je hebt het figuur van een reiger, je kunt alles dragen.'

Het was al over zes toen ze de boetiek uitging met twee tassen vol kleren. Haar spijkerbroek die ze had aan gehad toen ze er ernaar toeging zat ook in een van die tassen want de aanwinst waar de verkoopster het meest lyrisch over was geweest, had ze aan gehouden, een legging en een volgens haar maatstaven veel te kort jurkje.

'Het staat je zo geraffineerd,' had de verkoopster gezegd, 'houd het aan en laat geen enkele gelegenheid voorbijgaan om het te dragen. Dat knoopje bovenaan moet je open laten, dat maakt het jurkje geraffineerder, wulpser, zal ik maar zeggen. En het is er ook nog mooi weer voor ook.' Marieke had er hartelijk om moeten lachen. De wulpse Marieke, het paste bij haar voor geen meter.

Maar de verkoopster had gezegd: 'Je kunt veel meer van jezelf maken, weet je dat? Moet je voortaan doen. Je haar zit goed en je make-up is in orde, maar je kleren lieten het liggen. Kom maar gauw bij me terug als je weer wat nodig hebt, we krijgen voor het najaar heel leuke dingen binnen, kom in ieder geval even kijken.'

Verkooppraatjes, dacht Marieke maar ze liep wel met een blij gevoel naar huis.

Toen kwam ze Maarten tegen, ze zag hem het eerst en ze keek strak naar de grond terwijl ze vlug doorliep, ze had helemaal geen zin in een confrontatie en zeker niet in dat malle pak dat ze nu droeg. Ze voelde dat ze een kleur als vuur had gekregen.

Natuurlijk zag hij haar ook toen ze op gelijke hoogte waren. 'Wou!' hoorde ze hem zeggen terwijl hij haar staande hield, 'ik dacht eerst, dat kan niet waar zijn maar je bent het toch! Je ziet er fantastisch uit, weet je dat?'

'Deze outfit heb ik anders al een hele tijd, dat zal je wel ontgaan zijn,' loog ze alsof het gedrukt stond.

'Dat zal me dan ontgaan zijn. Heb je misschien tijd om even ergens te gaan eten? Ik ben net op zoek naar een gelegenheid.'

'Nee, dank je wel,' zei ze, 'ik heb een afspraak, Casper is namelijk in het land.' Ze hoopte dat ze hier niet voor gestraft werd en dat hij straks vis à vis zou zitten met Casper die zijn hele schoonfamilie voor een etentje had uitgenodigd. Die kans was groot want hun stad had niet zo veel aardige eetgelegenheden, je zat gauw op elkaars lip.

'En Casper gaat voor?' vroeg hij terwijl hij haar wat spottend gadesloeg: 'Wel als ik een afspraak met hem heb,' zei ze.

'Ik bel je,' zei hij, 'maak het ondertussen goed.'

De dag met Casper verliep ongedwongen zoals ze zich had voorgesteld. Ze hadden een boottocht door de grachten gemaakt en wat rondgekeken in de Kalverstraat. Op weg naar huis zei Casper: 'Er zit je iets niet lekker, wil je erover praten?'

'Ja en nee,' zei ze na enige aarzeling. 'Aan een kant is het jammer om een gezellige dag ermee te bederven maar aan de andere kant lucht het me misschien wel op.'

'Mag ik raden?' vroeg hij.

'Ga gerust je gang,' zei ze flauwtjes.

'Mijn zuster heeft je een paar keer in de schouwburg gezien met die makelaar die getrouwd was met dat bekende fotomodel, heeft het iets met hem te maken?'

'Ik ben de laatste tijd veel met hem uit geweest, het is dus geen wonder dat ik met hem gezien ben, er wordt natuurlijk erg op hem gelet.' Ze voelde dat ze weer een kleur als een boei had gekregen, ze kleurde tegenwoordig als het over Maarten ging, vervelend was dat.

'Heeft hij iets met die ridder op de witte schimmel te maken?' informeerde hij voorzichtig.

'Was het een ridder, ik dacht dat we het ooit over een prins hadden gehad, maar hoe dan ook hij is het en jij zult de enige blijven aan wie ik dat ooit zal toegeven Maar ik heb geen schijn van kans, hij zit met duizend vezels aan zijn Lizzy vast. Hij vond dat geen bezwaar om me te vragen met hem te trouwen, verliefd zijn vindt hij niet noodzakelijk voor een huwelijk, ik heb nee gezegd.'

'Helemaal afgeblazen? Is dat verstandig alleen omdat hij zegt dat hij niet verliefd op je is. Leg je de lat niet wat te hoog? Je kunt niet alles precies zo hebben als je dat wenst.

Waarom denk je dat hij je gevraagd heeft?'

'Ten eerste omdat hij nog in de diepste ellende zit, hij denkt dat ik hem er een beetje uit kan helpen en omdat hij vindt dat we bij elkaar passen, allebei uit een soortgelijk nest, verder vindt hij dat we van dezelfde dingen houden.' 'Volgens mij heeft hij je voor alles nu al gevraagd omdat hij ziet dat er jacht op je wordt gemaakt en bang is dat een ander met de buit gaat strijken als hij langer wacht. Ik zou in zijn plaats hetzelfde doen en ik kan erover meepraten. Ik was kapot toen ik alleen met Tim achterbleef, maar als ik toen iemand als jij had ontmoet, iemand die zo omringd wordt door andere kanshebbers, dan had ik ook mijn kans gewaagd. Hij had het misschien slimmer aan moeten pakken, hij had helemaal niet hoeven zeggen dat hij niet verliefd is, hij had kunnen doen alsof. Dat hij het niet heeft gedaan pleit alleen maar voor hem. Ik denk dat het allemaal nog wel goed komt,' zei hij. 'Hij mag dan beweren dat hij niet verliefd op je is maar voor iemand als jij is het toch een koud kunstje om daar verandering in te brengen.'

Ze antwoordde daar niet op. 'Ik vind het in ieder geval fijn dat ik er met je over heb gepraat,' zei ze. 'Doe vooral de hartelijke groeten aan Tim. Wanneer vertrek je precies?'

'Dinsdagochtend om zeven uur van Schiphol, dat wordt een vroegertje. Anders overnacht ik altijd op Schiphol als ik zo vroeg weg moet, maar dat kan nu niet want maandagavond viert de dochter van mijn zuster haar eindexamen. Ik ben maar quasi uitgenodigd want de bedoeling is dat de feestgangers het huis 's avonds voor zich alleen hebben en ik de ouders meeneem naar de schouwburg. De avond begint trouwens om zes uur al met een drankje en een hapje, die feestvreugde mogen de ouders en ik dan meemaken. Allemaal heel leuk en heel eigentijds, het is boffen dat het feestje net in mijn verlof valt.'

'Leuk om familie te hebben,' zei Marieke, 'je bent ook erg close met ze, hè?'

'Gelukkig wel, ze zijn ook geweldig voor Tim. Het is aan de familie te danken dat het weer zo goed met hem gaat, het eerste steentje aan zijn herstel heb jij trouwens bijgedragen.' 'Spelenderwijs en onbewust,' zei ze, 'het ging vanzelf.' Ze waren ondertussen voor Mariekes huis aangekomen. Bij het afscheid nemen zei hij: 'Ik heb zo het gevoel dat je problemen voor een groot deel opgelost zijn als we elkaar de volgende keer ontmoeten.'

Voor Eline was het eindexamen ook achter de rug, ze was als beste van haar klas geslaagd. Fleur had met een herexamen voor wiskunde de eindstreep gehaald. Alles dankzij Eline, daarover was iedereen het eens.

En nu moest het heugelijke feit gevierd worden. De meeste klasgenoten hadden al voorbereidingen getroffen voor een feest en een dag vastgesteld, er waren er ook die geen feestje gaven, maar gewoon op de dag van uitslag de felicitatie in ontvangst hadden genomen. Fleur had niets willen voorbereiden omdat ze er niet zeker van was dat ze zou slagen, er waren drie kandidaten uit de klas afgewezen, het mocht een wonder heten dat zij er niet bij was. Mocht ik toch slagen, had ze gezegd, dan vier ik het samen met Eline.

Maar Eline vond een feestje helemaal niet nodig. 'Als we al die feestjes straks hebben afgelopen, heeft niemand meer zin in nog een. Bovendien gaan er veel direct met vakantie en dan komt er niemand, dan blijf ik straks met een paar man en een paardenkop met alle taarten en drankjes zitten. Ik heb geen familieleden die de kamer nog wat kunnen opvullen en de resten kunnen verorberen.'

'We doen gewoon wat jij het beste vindt en dus vieren we het niet,' hakte Fleur de knoop door. 'Ik ben zo blij dat ik geslaagd ben, mijn vreugde kan door een feestje echt niet groter worden.'

'Maar het is wel een mooie herinnering voor later,' probeerde Fleurs moeder nog.

'Mam, ik heb een hoofd vol mooie herinneringen, er hoeft er echt niet nog een bij,' zei Fleur.

Later zei ze tegen haar moeder: 'Eline heeft gelijk, mam er zouden maar weinig uit de klas meer kunnen komen, de meesten gaan meteen weg na de volgende week. Ze zal zich dan zo alleen voelen zo zonder familie, ik weet dat zoiets haar verdrietig maakt.'

'Maar ze heeft ons toch.'

'Dat weet ik en zij weet het ook. Maar dat is niet hetzelfde.'

'Maar ik vind het zo sneu voor jou,' hield Fleurs moeder aan.

'Je vindt het vooral sneu voor jezelf, mam. En nu moet je er niet meer over zeuren.'

Fleur wist dat al die luidruchtige feestjes met uitbundige vaders en moeders en andere familieleden Eline op het randje van de afgrond van eenzaamheid hadden gebracht, maar ze durfde er niet met haar vriendin over te praten. Praten was voor Eline geen oplossing, wist ze en een andere vorm van troost zag ze niet.

Ze hadden het over de vakantie naar Thailand die ze zouden maken en over hoe fijn het was dat ze straks allebei rechten zouden kunnen studeren nu Fleur ook geslaagd was. Eline had voor rechten gekozen omdat ze dat een goede grondslag vond om daarna verder te gaan met iets waarvoor ze zich misschien in de loop van de tijd geïnteresseerd had. Fleur had bescheiden opgemerkt dat rechten nog net iets was wat ze zou kunnen halen.

'Maar ik ga eerst en voor alles met mijn vader kennismaken,' zei Eline ineens.

'Ik wist niet dat je plannen in die richting had,' zei Fleur verbaasd. 'Het is misschien een goed idee. Hij zal wel wat troost kunnen gebruiken nu zijn vrouw er niet meer is.'

'Ja,' zei Eline bitter, 'dat verhaal over hem en haar heeft

wel in dat tijdschrift gestaan waar ze mijn story niet wilden hebben.'

'De dood van zijn vrouw ging over een feit en jouw story kon je hebben verzonnen, wilde Fleur zeggen maar ze hield haar mond erover. 'Het heeft in alle kranten gestaan,' zei ze. 'Wanneer wilde je gaan? Je kunt het beste gewoon een afspraak met hem maken anders is hij er misschien niet eens.'

'Ik maak geen afspraak, als hij er niet is kom ik wel terug. Ik ben ook niet van plan om te zeggen wie ik ben, ik vraag hem te spreken onder het voorwendsel dat ik een baantje bij hem zoek. Ik wil hem gewoon spreken, hem ontmoeten en dan zie ik wel weer verder. Ik wil hem in ieder geval op de een of andere manier een loer draaien. Ik laat me daarvoor nog wel inspireren als ik hem gezien heb.'

Fleur wist dat het geen zin had om te proberen Eline op andere gedachten te brengen.

Ze was die ochtend vroeg weggegaan, maar ze had pech. De bus had vertraging waardoor ze de trein die ze had willen hebben niet kon halen. Zo moest ze meer dan een uur op de volgende aansluiting wachten. Op de plaats van bestemming reed een bus naar het adres waar ze moest zijn en zo kwam ze dan eindelijk bij het grote kantoorgebouw aan waar het makelaarskantoor van Maarten van Tricht gevestigd was. Het was ondertussen één uur geworden. Het was lunchtijd. Op de zevende verdieping waar zich het kantoor bevond leek alles uitgestorven. Nog voor ze had aangebeld ging de deur open, er stapte een jongeman met een aktetas onder zijn arm naar buiten.

'Jongedame,' zei hij, 'ik heb zo het gevoel dat je op het verkeerde adres bent, hier is op het ogenblik niemand. Mag ik vragen wie je zoekt?'

'Ik zoek de...de ja de directeur, 'hakkelde ze, 'ik heb een afspraak met hem.'

'Dan moet je toch ergens anders zijn, neem ik aan. Weet

je ook een naam, dan kan ik je misschien verder helpen.'

'Hij heet van Tricht, Maarten van Tricht.'

'Dan klopt er toch iets niet, want ik ben Maarten van Tricht en ik heb geen afspraak met je.'

Door de schok dat ze nu plotseling voor haar vader stond en door alles wat haar die dag was tegengelopen na een nacht zonder een ogenblik slaap, alles bij elkaar misschien maakte dat ze plotseling duizelig tegen de deurpost leunde en bleek en wazig naar de man tegenover zich keek

'U,' stamelde ze, 'u…'

'Kind,' zei hij, 'wat is er? Schrik je daar zo van? Ik zal je niet opeten. Vertel eens wat kwam je eigenlijk bij me doen en wie heeft die afspraak voor je bij me gemaakt?'

Ze herstelde zich.

'Ik kom solliciteren,' zei ze, 'ik kom vragen of u een baan voor me heeft. Ik heb pas eindexamen gedaan en nu zoek ik werk. Ik wil makelaar worden.'

Hij boog zich wat naar haar over, hij fronste zijn wenkbrauwen en zei glimlachend: 'Het is heel flink van je dat je zo op je doel afstapt maar je komt het zomaar proberen, denk ik, je hebt geen afspraak gemaakt.'

Ze koos de gemakkelijkste weg en zei: 'Dat is zo, ik maak nooit een afspraak.'

Hij schudde nog steeds glimlachend zijn hoofd. 'Maar ik heb geen baan voor je, ik neem niemand aan. In deze tijd is het al moeilijk genoeg om niemand te moeten ontslaan, ik kán niemand aannemen.'

De tranen drongen naar haar ogen, waarom wist ze niet maar het gebeurde.

'Dat is jammer, dan niet natuurlijk.' Voor ze de lift weer instapte draaide ze zich om. 'Ze zeggen dat u zo rijk bent, ik dacht dat u alles kon.'

'Ik ben niet zo rijk dat ik alles kan,' hoorde ze hem nog zeggen voor de liftdeur zich achter haar sloot.

Buiten gekomen rende ze door een mist van tranen voor

145

haar ogen terug naar de bushalte die net om de hoek was. De terugreis ging vlotter dan de heenreis en verliep zonder vertraging. Ze had eigenlijk geen besef van tijd, verkeerde in een soort shocktoestand. Voor haar huis zat Fleur haar op te wachten, ze zat op het muurtje dat de tuin van de stoep afsloot. Ze vloog meteen overeind toen ze Eline zag aankomen.

'En?' vroeg deze. 'Is het een beetje goed gegaan?' maar ze zag al aan Elines gezicht dat het niet het geval was. Ze liep achter haar aan toen ze het huis binnenging.

'Ik heb hem gezien,' zei ze toen ze op de bank was gaan zitten, half achterover leunend haar benen recht voor zich uit, en ze vervolgde: 'Hij is een soort yup, strak in het pak, witte boord en een stropdas die hij 's nachts denk ik, ook om houdt. Dat soort type is het. Hij moet omstreeks vijfendertig zijn, zo oud als Doro nu zou zijn geweest, maar hij lijkt veel jonger, zoiets als Frans, jouw broer. Ik vroeg of hij een baan voor me had maar die had hij niet, dus ben ik niets opgeschoten. Ik had daar binnen willen komen om hem gade te kunnen slaan om te zien wat voor soort mens hij is en ook om erachter te komen of hij nog meer liefjes heeft die een kind van hem hebben. Ik kan me haast niet voorstellen dat ik de enige ben als je al zo jong begint als hij.'

'Waarom heb je hem niet gezegd dat hij je vader is?'

'Omdat hij er niet naar uitziet dat hij dat prettig zou vinden, een moderne yup die een meisje als Doro in de narigheid brengt en vervolgens nooit meer iets van zich laat horen, die trouwt met een,' ze zocht even naar een geschikt woord, 'met een glitter-girl, een tegenhanger van Doro, denk maar niet dat hij me om de hals gevlogen zou zijn. Hij is het type dat zoiets eenvoudig niet gelooft omdat dat het gemakkelijkst is. Hij stond daar zo glimlachend onaantastbaar mij af te wijzen, er stond een muur tussen hem en mij. Zelfs als ik van plan was geweest het hem te zeggen, had ik het niet gedaan. Ik zou het niet over mijn lippen hebben kunnen krijgen.'

'Lijk je op hem?' vroeg Fleur.

'O ja, dat wel. Daarover zal nooit een misverstand bestaan. Ik zag dat meteen toen hij voor me stond. Ik raakte er een beetje door van de kook, ik heb zijn haar en zijn wenkbrauwen en ja, ik kan het niet precies benoemen maar ik lijk gewoon op hem. Op Doro leek ik totaal niet.'

'Dat is waar, 'beaamde Fleur. 'Ben je blij dat je hem hebt ontmoet?' vroeg ze toen.

'Nee, dat niet, ik ging ook niet naar hem toe om er blij van te worden. Ik ben alleen en er is niemand die echt bij me hoort. Dat merk je bij zoiets als een eindexamendag, jouw ouders en je broer, ze waren zowat in tranen van blijdschap omdat je geslaagd was. Ook al omdat ze het niet hadden verwacht. Maar ik was de beste van allemaal en daarvoor vertrok niemand een spier van zijn gezicht. Ik verwachtte dat ook niet en ik begrijp het wel maar het gemis blijft hetzelfde. Je kunt je verdriet aan niemand kwijt, maar je vreugde ook niet, je kunt niets met iemand delen. Dat had ik vroeger wel, toen pappie er nog was. Ik was niet zomaar een onderdeel van zijn leven, maar hij leefde helemaal voor mij. Achteraf bezien was dat voor Doro ook zo, alleen heb ik dat pas begrepen toen ik erachter kwam dat ze mijn eigen moeder was. Daarom mis ik Doro, ik mis haar iedere dag meer. Omdat Doro zo onzeker en soms zo hulpeloos was, voelde ik me meer haar moeder dan dat zij mijn moeder was. Maar dat was geen bezwaar, we hoorden bij elkaar.'

'Weet je dat er toch een heleboel mensen zijn die je benijden,' zei Fleur toen. 'Je hebt zo jong al je eigen huis en je kunt je studie zelf betalen, onze vakantie naar Thailand krijg je nu van mijn ouders cadeau voor alles wat je voor me gedaan hebt om me door mijn eindexamen te krijgen, maar je had hem ook zelf kunnen betalen. Ik weet wel dat het niet uit een vetpot gaat, maar dat is voor jou geen bezwaar. Jij kunt zo goed met geld omgaan, je maakt van een dubbeltje een kwartje om zo te zeggen. Dat zijn allemaal voordelen die anderen niet hebben,' ze stond op en keek naar de klok. 'Ik heb mam beloofd op tijd thuis te zijn voor het eten, pap komt eten en nu wil ze graag dat we er allemaal zijn. Frans komt ook opdraven. We moeten haar dat plezier wel doen natuurlijk.'

'Denk je dat je vader weer terugkomt?' vroeg Eline.

Fleur haalde haar schouders op. 'Soms denk ik wel dat er tekenen zijn die daarop wijzen, maar ik durf er nog niets van te zeggen. Hij heeft geen ander, zegt Frans. Hij kan het weten want Frans en hij wonen in Utrecht, hoewel streng gescheiden, in dezelfde flat en dan krijg je zoiets wel mee, natuurlijk. Met dat meisje met wie het allemaal begonnen is, had hij al gekapt toen hij de vorige keer weer thuis kwam wonen. We zullen wel zien. Misschien vindt mam het wel leuk als jij ook komt eten, dan zijn we niet zo opgeprikt onder ons, dat praat gemakkelijker. Lijkt het je wat? Zal ik haar even bellen of ze genoeg heeft voor jou erbij?'

'Liever niet,' zei Eline, 'een andere keer graag.'

'Denk je erom dat we morgen voor tennis hebben afgesproken? Ik kom je klokslag negen uur halen.'

Eline knikte. 'Oké,' zei ze.

Fleur zag op haar horloge dat het al laat was, ze ging op een holletje naar huis. Rot, dat ik haar nu alleen moet laten, dacht ze nog, ze zag er zo raar uit.

Ik zou willen dat ik hem vergeten kon, dacht Eline die na een uur dat Fleur het huis verlaten had nog op de bank zat. Een vergeetpil zou ze willen slikken, simsalabim en alles uit haar geheugen verdwenen. Doro's tabletten waren daar misschien ook wel goed voor. Doro zei ervan dat ze maakten dat alles bij een ander gebeurde. Het was niet direct het effect dat ze wilde bereiken, maar misschien zou het de druk in haar hoofd wat wegnemen.

Ze liep naar boven naar de badkamer en nam het doosje mee naar beneden. In de kamer teruggekomen viel haar blik op het glazen kastje in de boekenwand, Doro had dat als huisbar gebruikt. Ze had er nog nooit in gekeken. Ze liep er naartoe, opende het deurtje, het stond vol flessen sommige nog vol, andere half leeg of met een klein kladje. Ze nam de fles met wodka die nog bijna vol was, ze ontkurkte hem, zette hem aan haar mond en nam een slok. Haar mond trok samen van de sterke en toch weeë smaak. Het had iets weg van eau de cologne. Het smaakt verschrikkelijk maar je zult er wel goed teut van worden, dacht ze. Ze zette de fles neer, opende het doosje met de tabletten, lekker veel zijn er nog, dacht ze, ze zou daar nog lang mee voort kunnen. Ze nam er een paar en spoelde ze weg met de wodka, ze liep naar de bank met de doos tabletten en de fles. Omdat het nog steeds niet bij een ander gebeurde nam ze opnieuw een paar slokken. En ik neem nog een paar tabletten, als ik die op heb gebeurt het misschien wel bij mijn vader, ze grinnikte om haar eigen wrange grapje.

Ik wil nooit meer denken, dacht ze nog toen de omgeving om haar heen vervaagde.

Ze werd met een schok wakker door een gevoel van doffe ellende en misselijkheid. Ze schoot overeind om naar de wc te hollen maar zover kwam ze niet, de inhoud van haar maag vloog er met een boog uit, ze trachtte door te lopen maar gleed uit over het braaksel en viel op de grond. Ze trachtte overeind te komen maar werd daarbij gehinderd door een nieuwe golf die zich uit haar maag naar buiten wrong. Ze begon te hoesten, ze kreeg het gevoel dat ze stikken zou en dat gaf haar de schok die ze nodig had om rechtop te zitten en steun te zoeken tegen de muur, ze kreeg weer lucht, kon weer ademen. Een nieuwe golf uit haar maag bleef uit. Ze bleef uitgeput tegen de muur hangen, ze voelde zich opzij zakken en lag nu languit op de grond, daar voelde ze als een verlossing de slaap weer komen. Ze gaf eraan toe, ze was zover dat ze alles wat er met haar zou gebeuren goed vond.

De volgende dag om precies negen uur belde Fleur bij

Eline aan, ze kwam haar zoals afgesproken halen om te gaan tennissen. Pas toen ze voor de tweede keer had aangebeld viel het haar op dat het licht in de kamer brandde. Iets dat haar vreemd voorkwam op een zomerdag om negen uur 's morgens. Ze liep naar het kamerraam en zag dat ook de schemerlampen aan waren. Er bekroop haar een gevoel van paniek, Eline was altijd op tijd, misschien had ze zich bij uitzondering deze keer eens verslapen. Er hoefde nog niets aan de hand te zijn. Ze liep achterom, ze wist dat daar een sleutel op het richeltje naast het keukenraam lag, een reservesleutel voor het geval Eline haar sleutel vergeten had. Ze grabbelde in de richel boven haar hoofd en haalde met een zucht van verlichting de sleutel eruit. Ze deed de keukendeur open en het eerste wat haar opviel was de stank die daar hing, een mengsel van alcohol en braaksel. De deur van de keuken naar de gang was open en daardoor zag ze Eline meteen liggen toen ze eenmaal binnen was. Ze vloog op haar af, knielde bij haar neer, ze hoefde haar pols niet te voelen om te kunnen constateren dat ze nog leefde, Eline sliep maar ze snurkte hoorbaar. Jaren geleden had ze haar broer Frans toen hij pas studeerde eens zo gevonden, in een dronkenmanslaap midden in zijn braaksel. En zo lag Eline er nu ook bij.

Ze schudde haar net zolang door elkaar tot ze wakker werd. 'Je bent nu wakker en je moet wakker blijven, hoor je me,' zei ze doordringend. 'Ga rechtop zitten en ga staan, ik zal je helpen, nee niet terugzakken, je moet omhoog. Eline, je moet wakker blijven.'

Ze had Eline zo vies als ze was bij haar schouders gepakt om haar omhoog te hijsen. Eindelijk stond ze en waggelde ondersteund door Fleur naar een keukenstoel.

'Blijf toch van me af,' zei ze met een dikke tong, 'je doet me pijn.'

'Dat moet ook,' zei Fleur onverbiddelijk, 'want je moet wakker blijven. Ik zal je helpen je shirt uit te trekken en je broek zit ook onder het braaksel. Wat heb je gedronken, het stinkt als de hel. Weet je niet wat je gedronken hebt?'

'W...wodka,' lalde Eline, 'er was niets anders en ik w...wilde slapen...'

'Dat is je dan goed gelukt,' bromde Fleur binnensmonds, ze was langzamerhand wat van de schrik bekomen.

Later, toen Eline in schone kleren wezenloos op de bank hing en lodderig voor zich uitstaarde had Fleur alles opgeruimd. Het ergste had ze eerst met keukenpapier verwijderd en toen had ze de parketvloer met een emmer sop en een dweil verder schoongemaakt.

Fleur ging tegenover haar zitten. 'Hoe voel je je nu?'

'Niet erg best, natuurlijk,' zei ze.

Toen viel Fleurs oog op het doosje tabletten dat naast de bijna lege fles wodka lag. 'Die heb je dus ook genomen. Hoeveel?'

Eline haalde haar schouders op. 'Ik weet het niet precies, een stuk of wat.'

'Zou het niet beter zijn als je even naar de dokter ging? Mam gebruikt dat spul ook wel eens tegenwoordig. Ze zegt dat het niet erg sterk is maar er staat wel op het doosje 'Voorzichtig met alcohol'.'

'Ik ga niet naar de huisarts, ik ben niet zo dol op hem. Ik heb zo veel overgegeven, het meeste zal er wel uit zijn. Ik ben nu toch wakker.'

En hoe, dacht Fleur. 'Ik ga koffiezetten en wat te eten klaarmaken,' zei ze, 'blijf ondertussen wel bij de tijd. Anders bel ik toch de dokter.'

'Als je het maar laat,' zei Eline lusteloos. Ze praat nog steeds met een dikke tong, dacht Fleur bezorgd. Het zal zijn tijd wel moeten hebben. De dokter zal ook niet veel kunnen doen nu ze alles heeft overgegeven. In televisieprogramma's had ze wel eens gezien dat in een dergelijk geval de maag werd leeggepompt, maar dat hoefde immers niet meer. Ze moest eerst maar eens wat eten en koffie zou ook wel hel-

151

pen. Frans zwoer bij koffie na een nachtje doorzakken.

Na twee boterhammen en drie koppen koffie zei Eline dat ze zich beter voelde. Ze zag er ook beter uit en ze sprak duidelijker. Ze zei: 'Ik voel me veel beter maar ik wil nog wat slapen en daar houd je me met geen tien paarden vanaf.' Fleur dacht dat het misschien ook het beste zou zij. Je roes scheen je uit te moeten slapen. Zij zou hier blijven, de hele dag en ze zou vannacht blijven slapen. Ze ging haar moeder bellen om te vertellen dat ze Fleur vandaag hielp om haar boekenkast op te ruimen en dat ze ook bleef slapen om hun vakantie te vieren.'

'Doe dat kind,' zei haar moeder vol vertrouwen, 'genieten jullie maar van je vrijheid.'

Zo, dat was geregeld, dacht Fleur opgelucht.

10

Het was eind augustus en een warme nazomeravond, Marieke had de schuifpui die toegang gaf tot het balkon met het uitzicht op de rivier open om zo veel mogelijk van de zomerse frisse lucht te genieten. Eigenlijk is het een avond om iets bijzonders te gaan doen, dacht ze. Dit weer was zo zeldzaam mooi dat je het vast zou willen houden. Maar wat doe je voor bijzonders op een vroege avond midden in de week en dan in je eentje? Morgen zou het weer een gewone dag zijn, er was regen en wind voorspeld. Zou dat echt het einde van het mooie weer betekenen?

Haar gedachtegang werd onderbroken door de rinkelende telefoon, het was Maarten. 'Ik vond dat ik iets doen moest met deze mooie avond,' zei hij, 'ik heb bij Gerard een souper voor twee personen besteld, het wordt hier in het Dijkhuis bezorgd. Mag ik jou uitnodigen om het met jou samen op het jou zo welbekende terras te nuttigen?'

'Wat toevallig,' zei ze verrast, 'ik zit hier met de balkondeuren open en ik bedacht juist dat je met zulk mooi weer iets bijzonders behoort te doen en jouw voorstel is bijzonder. Natuurlijk neem ik de uitnodiging graag aan.'

'Ik kom je halen,' zei hij, 'onmiddellijk. Je omkleden hoeft niet, want je bent altijd mooi.'

Ze glimlachte om zijn enthousiasme, hij verandert, dacht ze, hij is niet meer zo formeel. Het gaat erop lijken dat hij wat opknapt. Ze vloog overeind, natuurlijk ging ze zich wel verkleden. Stel je voor om al die mooie spullen die ze bij boetiek Elisabeth had gekocht ongebruikt de winter in te laten gaan. Ze moest wel opschieten, want hij kon zo hier zijn.

Ze was in een ogenblik verkleed en had nog tijd om zich goedkeurend in de spiegel te bekijken.

'Je ziet er prachtig uit,' zei hij bewonderend toen ze beneden in haar deuropening verscheen nadat hij had aangebeld.

'Je hebt het zeker al jaren.'

Ze stak even het puntje van haar tong uit.

Hij liet merken dat hij wist dat ze de vorige keer gelogen had over haar nieuwe kleding. Het was in ieder geval een teken dat hij zag wat ze aan had. Ze geloofde niet dat het vroeger het geval was geweest.

Het was de eerste keer dat ze in het Dijkhuis kwam sinds hij alleen was. Er was veel veranderd. Lizzy had in de korte tijd dat ze er de scepter zwaaide flink huisgehouden.

'Het eten is al gebracht,' zei hij toen ze binnenkwamen. Hij liep voor haar uit naar de keuken waar de gamellen op het aanrecht stonden. Het was een splinternieuwe moderne keuken, alles blonk haar toe.

'Daar staat het,' zei hij, 'maar we gaan ons eerst te goed doen aan de champagne die ik koud heb staan. De glazen heb ik al op de tafel op het terras gezet. Zullen we daar maar naartoe gaan?'

'Ik heb een drukke dag gehad,' zei hij terwijl hij de fles uit de koelkast haalde en haar voorging naar het terras, 'of liever gezegd een moeilijke dag. Veel van de bewoners van onze huurhuizen werkten bij die fabriek van Keizer die onlangs failliet is gegaan. Het zijn jonge gezinnen die uit hun huizen dreigen te worden gezet. Als er geen helpende hand geboden wordt, komen ze op straat te staan. We moeten er alles aan doen om dat te voorkomen. Vandaag had ik een gesprek met de burgemeester. Gelukkig heeft hij begrip voor de situatie.'

Hij had ondertussen de fles ontkurkt en de glazen ingeschonken. Hij hief zijn glas naar haar en zei: 'Op deze mooie avond van ons samen. Ik moest er vandaag toen ik al die ellende aanhoorde waarin die mensen terecht zijn gekomen aan denken hoe ik er zelf voor heb gestaan na Lizzy's dood. Als ik jou toen niet had gehad, zou ik vandaag niets voor die mensen hebben kunnen doen. Ik heb ervaren hoe een helpende hand weer een beetje geluk in je leven kan brengen.'

'Ik ben bang dat je mijn aandeel in je herstel overschat,' zei ze, 'dat weet je trouwens wel.'

Hij glimlachte haar toe. 'Je bent zo goed in het onderschatten van jezelf,' zei hij terwijl hij opnieuw het glas naar haar hief. 'Waarin ben je eigenlijk niet goed?'

Ze lachte naar hem. 'Laten we het daarover maar niet hebben,' zei ze.

Hij had in de eetkamer gedekt maar door de ongewoon mooie zomeravond gaven ze er beiden de voorkeur aan buiten te eten. Bestek borden en kaarsen werden na gemeenschappelijk overleg naar de tafel op het terras overgebracht.

'Gerard zei dat we het hoofdgerecht in de oven moeten opwarmen, de magnetron geeft smaakverlies, beweert hij, zullen we ons maar aan zijn advies houden?' vroeg Maarten. 'We kunnen de tijd opvullen met een ronde door het huis. Lizzy heeft nogal wat veranderingen aangebracht. Ik vind ze niet allemaal even succesvol, ik zou graag jouw mening horen.'

En zo liep Marieke achter Maarten aan haar ouderlijk huis door. Hier had ze haar dromen gedroomd, dacht ze en door de verkoop was er niets van die dromen uitgekomen. Of toch wel? Juist nu toch wel? 'Leg je de lat niet te hoog,' had Casper gezegd, 'je kunt niet alles hebben.' Is dit zo samen met hem niet het uiterste van geluk wat ik bereiken kan, vroeg ze zich nu af. Ik kan dit voor altijd hebben als ik wil. Moest ze haar Courts Mahler mentaliteit maar eens opzij zetten, alleen met iemand trouwen die haar met zijn hele hart liefhad of helemaal kappen?

Ze wist ineens het antwoord daarop.

Ze stonden nu in de kamer die vroeger bij het verhuurde appartement had gehoord. Een ruime kamer die nu blijkbaar als logeerkamer was ingericht. Een luxe logeerkamer, natuurlijk, hoe kon het ook anders met zowaar een hemelbed.

'Werkelijk heel mooi,' prees Marieke. Aangrenzend was

er vroeger een eenvoudige douche geweest, nu was het een luxueuze spectaculaire douche met de laatste snufjes. Zoals te verwachten was, dacht Marieke. 'Mooi,' zei ze weer, 'heel mooi. Zo mooi dat je bijna bang zou zijn hem te gebruiken.'

'Deze kamer is nog nooit gebruikt,' zei Maarten, 'ze heeft hem zelf nooit klaar gezien. Ze gaf alle opdrachten telefonisch vanuit Amerika. Het ging buiten mij om, ze onderhandelde rechtstreeks met de leveranciers.'

Wie het breed heeft laat het breed hangen, zou tante Marie gezegd hebben, dacht Marieke. Zo moest ze niet denken, corrigeerde ze zichzelf onmiddellijk, het was toch immers haar goed recht geweest. Het was haar huis en haar geld. Natuurlijk had het haar een geluksgevoel gegeven, het huis zou dan helemaal klaar zijn als straks de baby kwam.

Ze liepen weer naar beneden, hij had hun gezamelijke slaapkamer overgeslagen en de babykamer had ze ook niet gezien. Dat zou allemaal nog wel te veel pijn doen, dacht ze. Ze betraden nu de haardkamer.

'Die meubelen vind ik hier afschuwlijk,' zei Maarten eerlijk. Er stond een rank gebloemd bankstel met een overvloed aan stroken en franjes. Het paste totaal niet bij de oude open haard die gelukkig in zijn oorsprong bewaard was gebleven. Het vloekte ook een beetje bij het donkere eiken plafond met de zware balken boven hun hoofd.

Toen het signaal uit de keuken aankondigde dat het hoofdgerecht klaar was, zei Marieke diplomatiek: 'Ik vind dat ze het mooi heeft ingericht, dat bankstel past inerdaad niet zo erg in de haardkamer maar je kunt het in de logeerkamer bij het hemelbed zetten. Er is daar plaats genoeg en het past er vast uitstekend.'

'Misschien een goed idee,' zei hij, 'weg doen is natuurlijk zonde. Het zal wel aardig wat gekost hebben.'

Na de koffie keek hij op de klok. 'Aan alles komt een einde,' zei hij, 'mijn hart zegt dat het oergezellig zou zijn om met jou nog een cognacje te nemen maar mijn verstand wint het. Ik moet jou nog naar je huis brengen en daarom kan ik niet meer drinken.'

'Stel je voor dat ze ons onder aan de dijk zouden vinden,' zei Marieke, 'vorige week is daar nog een auto terechtgekomen. Dan worden we ook een krantenbericht.'

'Liever niet,' zei hij. 'Niet onder aan de dijk en ook geen krantenbericht.'

Toen hij zoals gewoonlijk met haar sleutel haar huisdeur had geopend, gaf hij haar die niet direct terug. 'Ik moet je nog wat vragen,' zei hij, 'vind je goed dat ik met je meega?'

Wat omslachtig dacht ze, hij kan me hier toch ook alles vragen maar ze zei: 'Ja, dat is goed, ga maar even mee.'

Boven gekomen deed ze meteen de schuifpui naar het balkon weer open. 'Nog even genieten van dat heerlijke weer,' zei ze naar buiten lopend. Hij volgde haar en bleef naast haar staan. 'Ja,' zei hij, 'het was een volmaakte avond met volmaakt weer. Ze voelde hoe zijn hand haar hand aanraakte, hem vastpakte.

Dat heeft hij nog nooit gedaan, dacht ze. Het had natuurlijk weer hetzelfde effect als een aanraking van hem met haar schouder of arm waarover dan altijd een jas of een trui zat, ze voelde zich met duizend vezels naar hem toegetrokken. Ze liet als gebiologeerd zijn hand waar hij was, haar knieën knikten. 'Ik krijg je toch,' zei hij toen, 'maar moet ik nog lang op je wachten?'

Wat hij zei was natuurlijk bij het arrogante af maar desondanks zei ze, terwijl ze zijn hand die hij nog steeds vast had losmaakte en de rever van zijn blazer greep: 'Je hoeft niet meer te wachten.'

Hij legde zijn handen op haar schouders. 'Bedoel je daarmee dat je met me wilt trouwen?' vroeg hij.

Ze glimlachte. 'Ja,' zei ze, 'ik wil met je trouwen.'

'Dat betekent dat ik je in mijn armen mag nemen en zo troost bij je mag zoeken als ik het leven soms niet meer aan-

157

kan. Ik kan je niet zeggen hoe ik daar de afgelopen tijd naar heb verlangd.'

'Waarom heb je het dan niet gedaan?'

'Omdat ik het niet aandurfde, je bent anders dan andere vrouwen. Ik zag je alijd zo omringd door mannen en zo ongenaakbaar op een afstand, ik was bang je kwijt te raken, ik wilde er alles aan doen om in de competitie te blijven.' Hij was al pratende met haar naar de bank gelopen, hij ging zitten en trok haar naast zich. 'Dat je straks altijd bij me zal zijn, het is te groot voor woorden, ik zou voor je willen knielen van blijdschap. Ik zou dit grote gebeuren op een bijzondere manier willen vieren met alleen wij tweeën. Daarna moet jij maar zeggen hoe je trouwen wilt, hoe de bruiloft zal zijn, maar dit weekeinde zou ik graag met je weg willen om alleen maar samen met jou te zijn.'

Als antwoord op zijn voorstel schoof ze dichter naar hem toe en kroop in zijn armen.

Het was een hele tijd later toen hij zei: 'Ik beloof je dat ik er alles voor zal doen om te maken dat je van dit besluit geen spijt krijgt. En nu stap ik noodgedwongen op, anders komt er niets van terecht om dit grote gebeuren pas in het weekeinde te vieren. Het zal me moeite kosten om tot zaterdag mijn hoofd bij mijn werk te houden.'

Toen hij vertrokken was, zat ze als verdoofd de gebeurtenissen van afgelopen uren te herbeleven. Ze geloofde dat ze er wel goed aan had gedaan ja tegen hem te zeggen. Maar het kwam erop neer dat hij haar bij zich wilde hebben om het leven weer aan te kunnen. Was dat voldoende voor een verbintenis voor altijd? Als zij nu zelf eens de moed zou verliezen door de een of andere gebeurtenis, wat zou er dan gebeuren? Onzin, zei ze streng tegen zichzelf, ze moest leven bij het ogenblik, bij dit mooie ogenblik, ze had de man van haar dromen gevonden, haar ridder op de witte schimmel. Of was het de prins op het witte paard? Ze glimlachte, het maakte niet uit, het was immers een droom en dan kwam dat niet zo precies. Dromen komen immers ook niet altijd helemaal uit.

Thea stond haar de volgende dag aan de voordeur op te wachten toen ze om vijf uur van haar werk kwam. 'Nu of nooit,' zei ze, 'we hebben elkaar zo lang niet gezien. Ik heb je verschillende keren gebeld en je was nooit thuis, je voicemail stond ook niet aan, je leek als van de aardbodem verdwenen. Toen besloot ik hier net zo lang voor je deur te blijven staan tot ik beet had en zie daar, het is gelukt. Je ziet er goed uit, zeg, mager, maar stralend. Kom ik wel gelegen?'

'Ik vind het fijn dat je er bent,' zei Marieke hartelijk, 'laten we gauw naar boven gaan. Hoe gaat het en hoe is het thuis?'

'Alles prima,' zei ze, 'het kind is gezond en Teun heeft weer werk.'

'Geweldig zeg, gefeliciteerd.' Marieke was op de hoogte van Teuns ontslag, hij had ook bij Keizer gewerkt, een metaalwarenbedrijf dat al gauw in de financiële moeilijkheden was gekomen door de crisis. Ze schaamde zich dat ze er nooit meer bij Thea naar geïnformeerd had. Ze was ook zo met haar eigen besognes bezig geweest. Schande.

'Heeft Teun weer een baan naar zijn zin kunen vinden?' vroeg ze nu geïnteresseerd.

'Hij is erop vooruitgegaan. Dat heeft de stemming in huis aanzienlijk verbeterd. Hij heeft zijn nieuwe baan op voorspraak van Maarten gekregen. Maarten is geweldig in die dingen. Hij houdt zich ook bezig met drie andere ex-werknemers van Keizer. Ze hebben alle drie een huurhuis van ons, omdat ze dan dichterbij hun werk kwamen te wonen en omdat de huizen veel mooier zijn. Ze waren nog maar kort bij Keizer. Ze komen allemaal van De Poorter, die het nu nog goed doet. Ze hebben zich laten verleiden om gezamenlijk over te gaan naar Keizer en dat is nu natuurlijk helemaal misgegaan. Ze hebben zich nieuw ingericht toen ze bij ons een huurhuis hebben gekregen en zitten nu tot aan hun nek in de schulden en hebben geen werk meer. Twee hebben al een huurachterstand van twee maanden en van de derde kregen we bericht dat het hem de volgende maand ook niet meer zal lukken om ons te betalen. Ze zijn een veel te hoge schuld aangegaan en zitten nu met een veel lagere uitkering lelijk in de knel. Ze hebben allemaal een paar jonge kinderen. Maarten heeft een regeling met hen grtroffen. Welke heeft hij me niet verteld. En nu maar hopen dat ze ook weer gauw werk krijgen. Het zijn degelijke gezinnen. Behalve dan die veel te hoge schuld die ze op zich hebben genomen, maar dat is in de geest van de tijd, zullen we maar zeggen. Zeg,' vervolgde ze toen bijna in een adem, 'Dennis, het Manusje van alles van Gerard vertelde me dat Casper terug geweest is, helemaal uit het Caribsche gebied, kwam hij speciaal voor jou? Wordt het nu wat met jullie of mag ik dat niet vragen?'

Marieke lachte en schudde het hoofd. 'Het wordt niet echt wat jij bedoelt met Casper,' zei ze, 'maar het is wel en heel goede vriend. Hij kwam ook niet speciaal voor mij, hij kwam voor Tim. Hij is voor een blindedarmoperatie in het ziekenhuis geweest. Alles is gelukkig goed met hem afgelopen.'

'Weet je wat Dennis ook nog vertelde? Ja, Gerard hoorde het en was er razend om, je mag niet over onze gasten praten, zei hij, maar goed, ik vond het leuk om even een roddeltje te horen. Dennis vertelde dat hij deze week een souper voor twee personen bij Maarten op het Dijkhuis moest brengen, ik heb er geen flauw idee van met wie hij daar zo nodig een souper moest hebben. Dat had hij toch ook gewoon in het hotel kunnen doen? Ik heb geen idee met wie hij daar geweest is. Dennis zei ook nog dat hij haast nooit meer in hun restaurant komt. Jou zien ze er ook al in geen tijden meer trouwens.'

'Ik kook tegenwoordig veel zelf, het restauranteten gaat

vervelen op den duur. Ik heb het in het begin dat ik hier woonde veel gedaan omdat het gemakkelijk was met alle drukte van de verhuizing,' antwoordde ze zo onbevangen mogelijk

Marieke voelde dat ze een kleur als vuur had gekregen tijdens de verhalen die betrekking hadden op Maarten. Ze snoot haar neus maar eens om haar kleurtje te verdonkeremanen en kreeg daarna een soort hoestbui, die een verklaring voor haar rode gezicht kon zijn. Wat moest ze haar zeggen over Maarten en haar? Na het weekeinde zou iedereen het weten en dan hoorde Thea het nieuws van een ander. Daarvoor was ze toch eigenlijk te goed bevriend met haar.

'Ik moet je iets vertellen,' zei ze toen na ampele overwegingen, 'maar je moet me beloven er nog een paar dagen je mond over te houden. Zou je dat kunnen?'

'Natuurlijk kan ik dat,' was haar enigszins verontwaardigde antwoord, 'waar zie je me voor aan?'

'Och ja, dat weet ik ook eigenlijk wel,' zei ze sussend. 'Er is namelijk het volgende aan de hand, Maarten en ik gaan trouwen, maar we maken het volgende week pas bekend.'

Thea sloeg haar hand voor haar mond, haar ogen puilden uit van verbazing. 'Je meent het niet... je meent het niet,' herhaalde ze en toen keek ze even stil voor zich uit.

'Het was natuurlijk te verwachten dat hij ooit weer trouwen zou, ik heb me er dikwijls zorgen over gemaakt met wie hij nu weer voor de dag zou komen, maar aan jou heb ik nooit gedacht. Je bent Lizzy's tegenpool, maar juist daarom denk ik dat hij niemand beter had kunnen kiezen.'

Marieke zag tranen in Thea's ogen.

'Jij zult hem niet ongelukkig maken,' vervolgde ze. 'Nu denk je misschien dat ik verliefd op hem ben. Dat is ook eigenlijk wel zo, alle vrouwen zijn verliefd op Maarten.'

Marieke lachte ineens, het verbrak de spanning. Thea veegde met haar hand over haar ogen

'Dat souper was natuurlijk voor jou bestemd,' zei ze.

161

'Inderdaad.'

'Heb je er ook geslapen?'

'Jij dacht dat hij me onmiddellijk het hemelbed in had gesleurd, nee, dat heeft hij niet gedaan.'

'Dat zou ook niets voor jou zijn geweest,' vond Thea, 'ik had het je ook eigenlijk niet moeten vragen. Ik praat gemakkelijker over die dingen. Sinds zijn nieuwe baan slaapt Teun niet meer in de logeerkamer. Dat heeft de stemming in huis ook aanzienlijk verbeterd. Hij is er, denk ik, achter gekomen dat scheiden geld kost en dat hem dat bij nader inzien toch te duur is en dat je gewoon niet alles kunt hebben. We denken nu over een baby, een tweede kind. Ik wil zo graag nog eens iets hebben waarop ik me helemaal kan verheugen, iets dat binnen mijn bereik ligt. Vind je dat raar?'

Marieke keek in Thea's trouwhartige nog vochtige ogen, het roerde haar zoals Thea trachtte haar levensproblemen op te lossen. Ze stond op en boog zich over haar vriendin, ze streek met haar wang langs haar gezicht. 'Als jullie het daar samen over eens kunnen worden, lijkt het me een goed plan. Ik vind je zo verschrikkelijk dapper, ik bewonder je. Ik denk dat het nog helemaal goed komt met jullie.'

'Heb je iets onder de kurk?' vroeg Thea met verstikte stem terwijl ze haar opnieuw opkomende tranen met beide handen wegveegde.

'Een uitstekend idee,' vond Marieke, terwijl ze naar het flessenrek liep, 'we gaan op al onze plannen het glas heffen.'

Maarten belde haar die avond op om te vragen of ze voorkeur had voor een plaats en een hotel om hun weekeinde door te brengen. Ze had er niet over nagedacht, het gewoon aan hem overgelaten maar nu zei ze spontaan: 'Weet je wat ik het liefst zou willen? Gewoon zonder afspraak naar Limburg rijden en daar iets zoeken wat ons aanstaat. In de stad of in de stilte, dat zien we wel.'

'Akkoord,' zei hij meteen, 'als jij dat leuk vindt, doen we dat.'

En zo gebeurde het dat ze die zaterdag in de namiddag een hotel vonden in de stilte, dicht bij een klein dorp. Maar wel een hotel met alles erop en eraan. Ze zaten op het terras en hadden thee besteld er waren net genoeg mensen om hen heen om niet de indruk te krijgen dat ze op Nergenshuizen terecht waren gekomen.'

'Het ziet ernaar uit dat we deze gelegenheid in onze mogelijkheden kunnen gaan opnemen,' zei Maarten goedkeurend om zich heenkijkend. Die 'blind date' was een goed idee van je, anders hadden we nooit zoiets moois gekregen.'

'Heb je al een kamer besteld?' vroeg ze.

Hij keek haar aan met een glinstering in zijn ogen. 'Nog niet,' zei hij, 'je had me nog niet gezegd of het twee eenpersoons kamers moesten zijn of een tweepersoons.'

'Misschien zitten ze vol,' ontweek ze slim zijn vraag.

Hij stak over de tafel zijn hand naar haaar uit. 'Ik heb een tweepersoonskamer besteld,' zei hij, 'maar als je wilt ga ik dat veranderen.'

'Wil je dat ik het wil?' vroeg ze.

Hij kneep in haar hand en liet hem toen los. 'Nee,' zei hij, 'dat wil ik helemaal niet. In het tegendeel. Ik zei het alleen maar om je de gelegenheid te geven je alsnog terug te kunnen trekken als je spijt mocht hebben, nu kan het nog.'

'Ik heb geen spijt,' zei ze hem glimlachend in zijn onderzoekende ogen kijkend.

'Dan stel ik nu voor een wandeling naar het dorp te maken om onze eetlust voor straks wat op te voeren.'

Later hadden ze hun diner met de vele gangen tot in het oneindige gerekt, leek het Marieke. De rijk uitgeruste eetzaal met de feeërieke verlichting noopte ook niet tot een snelle beëindiging. De drankjes, de heerlijke gerechten en het idee dat dit hun eerste nacht samen zou worden, voerde de spanning op. Ik zal dit alles mijn leven lang niet vergeten, dacht Marieke. Wat er hierna ook mag gebeuren, dit heb ik gehad en het is nog lang niet voorbij.

163

Toen ze in de ene helft van de lits-jumeaux heel dicht bij elkaar lagen was het Marieke alsof ze al lang met hem samen was. Ze dacht er niet aan of hij wel werkelijk verliefd op haar was, ze dacht ook niet aan die andere vrouwen die er voor haar waren geweest, hij was van haar en hij was voor haar de enige man in haar leven.

De bruiloft die ze heel sober hadden willen houden, liep toch wat uit de hand door alle verplichte zakelijke uitnodigingen aan de relaties van de bruidegom en de vrienden en collega's van de bruid, zodat het nog een drukke receptie werd. De belangstellling op het stadhuis en in de kerk was enorm.

Iedereen wilde de opvolgster van Lizzy zien, dacht Marieke en het stoorde haar niet.

Maartens familie had haar letterlijk en figuurlijk in de armen gesloten.

'Je bent een schoondochter naar mijn hart, kind,' had zijn moeder gezegd, 'als ik er zelf een had moeten uitzoeken, zou ik geen betere gevonden hebben.'

'Een hele opgave om aan je moeders verwachtingen te voldoen,' had ze later tegen Maarten gezegd. 'Och, laat haar maar,' had hij geantwoord, 'als het te moeilijk voor je wordt, moet je het me maar zeggen. Een ding is zeker, ze bedoelt het allemaal goed.'

Marieke kende Maartens moeder van heel vroeger. Ze deed toen veel voor de kerk. Een keer in de veertien dagen leidde ze een naaikransje. Ze had Marieke net zo lang op haar gemoed gewerkt tot ze ook meedeed. Kousen stoppen en kleren repareren van kinderrijke gezinnen met een kleine portemonnee en een moeder met een slechte gezondheid. Heel loffelijk natuurlijk maar voor Marieke was het toch te veel om haar vrije zaterdagmiddag op te offeren. Ze was er onderuit gekomen door te zeggen dat ze met bewoners van het bejaardenthuis die in een rolstoel zaten uit rijden ging. Dat was maar gedeeltelijk waar, want ze had alleen een poosje die taak op zich genomen van een vriendinnetje toen ze door ziekte verhinderd was. Toen het vriendinnetje beter was, had ze Maartens moeder altijd weten te ontwijken. Wat ook niet zo moeilijk was omdat ze in het Dijkhuis eigenlijk tot de kerk in het dichtstbijzijnde dorp behoorde en Maartens familie tot de kerk in de stad.

Na de huwelijksreis van veertien dagen op Madeira verruilde Marieke haar huis in de stad met het Dijkhuis. De herintrede noemde Maarten het spottend. Hij drong er opaan dat ze vooral de spulletjes waaraan ze gehecht was mee zou nemen naar het Dijkhuis en ze kreeg carte blanche om daar alles te veranderen wat ze nodig vond. Maar het meeste liet ze zoals het was. Behalve de nieuwe meubelen was er weinig door Lizzy veranderd, de tijd had haar daartoe trouwens ontbroken en de verbouwing had ze pas willen laten doen als ze met haar werk als fotomodel was gestopt.

'Ik heb, denk ik, wel een heel goede oplossing voor de meubelen in de haardkamer die je niet zo mooi vindt,' zei ze.

'Die moeten toch naar het hemelbed, dat zei je laatst, vond ik een goed idee.'

'Ik denk dat ik misschien een nog beter idee weet en zeker goedkoper.'

'Je vindt de meubelen uit deze kamer bij mij zo mooi, we zetten ze gewoon weer terug en dit bankstel kan dan daar naartoe.'

'Vind je dat niet jammer van jouw mooie zitkamer in de stad?'

'Het poppenbankstel, zoals ik het gedoopt heb, staat daar beter dan hier. Misschien ga je er nog van houden, als het daar eenmaal is,' lachte ze.

'Bovendien zullen we niet zo vaak in de stad zijn. Misschien dat we er samen kunnen lunchen als onze tijden dat toelaten. Ik ben natuurlijk erg aan tijd gebonden. Jij kunt veel gemakkelijker over je tijd beschikken dan ik.'

'Ik heb er nog niet aan gedacht dat we daar voortaan

gezellig samen kunnen lunchen,' zei hij. 'Wat een leuk vooruitzicht. Je hebt het allemaal zo goed voor elkaar. Wat wil je
met de slaapkamer? Moet daar niet iets nieuws komen?'
'Zonde van het geld,' zei ze beslist, 'die kamer is nauwelijks gebruikt. De meubelen zijn ook wat popperig met al die
tierelantijnen, maar daar wennen we wel aan. Effen over-
trekken en slopen zullen trouwens al wonderen doen. Die
kosten niet zo veel.'
Hij liep naar haar toe, sloeg zijn armen om haar heen. 'Dat
je ook nog een zuinige huisvrouw bent, ik had het kunnen
weten, maar ik had er nog niet aan gedacht, nu tel ik het bij
je andere goede eigenschappen op.'
'Spot er maar mee,' zei ze. 'Weet je dat het een vreemd
gevoel is om weer in een huis te gaan wonen dat je ooit verkocht hebt, omdat je de reparaties die eraan moesten gebeuren niet meer betalen kon en dat datzelfde huis er nu punt-
gaaf uitziet, de dakgoten heel het lekke dak gerepareerd, de
elektrische bedradingen en de waterleiding vernieuwd, alles
opnieuw geschilderd en behangen en, heb ik nog iets vergeten? O ja, de tuin. De tuin heeft een metamorfose ondergaan
en ligt er nu bij als een lustoord. Dat alles bij elkaar doet je
iets, het maakt je superzuinig. Ik weet niet eens meer waarover ik me zorgen moet maken, onvoorstelbaar.'
Hij trok haar tegen zich aan. 'Ik ben zo blij met je,' zei hij,
'door jou is het licht weer voor me gaan schijnen, heeft het
leven weer zin gekregen en daardoor sta ik na alles wat je
hebt opgenoemd toch nog bij je in de schuld. Je hebt lang de
tijd genomen om te overdenken of je wel met me wilde trouwen, ik zal er echt alles aan doen om je geen spijt te laten
krijgen van je besluit.' Ze keek hem aan, zo dicht bij hem
zag ze dat zijn grijze ogen donkere spikkeltjes hadden waardoor ze bijna zwart leken, ze trok met haar wijsvinger de lijn
van zijn wenkbrauwen na en ze dacht, wat wonderlijk dat
een man die zo veel ervaring met vrouwen heeft nog steeds
niet merkt dat ik erg verliefd op hem ben en dat ik eigenlijk

helemaal niet zo lang had hoeven nadenken om met hem te trouwen.

Een week later kwam ze Thea tegen toen ze tussen de middag op weg was naar het huis aan de kade om daar samen met Maarten te lunchen.

'Ik was gisteren bij de kapper en daar las ik in een weekblad een artikeltje over jullie huwelijk. Er stond in dat de sympathieke makelaar Maarten van Tricht, weduwnaar van het wereldberoemde fotomodel Lizzy, weer het geluk gevonden had, namelijk met de laatste nazaat uit het adelijke geslacht Van Zoelen. Als bijzonderheid werd nog aangehaald dat jullie weer wonen op het buitengoed van freule Van Zoelen, de overgrootmoeder van de bruid die daar in het midden van de vorige eeuw overleed. Zo is zij teruggekeerd naar het oude familiebezit. Ik heb nooit geweten dat je een adelijke overgrootmoeder hebt,' beëindigde Thea haar verhaal.

'Vergeet het dan maar gauw weer,' zei Marieke, 'want het is helemaal niet waar. Wie mijn overgrootmoeder was weet ik niet, maar mijn grootmoeder was binnenmeisje zoals dat vroeger werd genoemd, bij de freule en volgens de overlevering heeft de freule het Dijkhuis aan haar binnenmeisje nagelaten voor bewezen trouwe diensten. Door de oorlog zat ze op zwart zaad en kon haar personeel niet betalen, ze liepen allemaal bij haar weg, behalve het binnenmeisje. Zij is later met mijn grootvader getrouwd die op een bank werkte, hij was daar kassier en ze leefden lang en gelukkig. Dat is het verhaal. De rest weet je, de bruid van de makelaar moest het Dijkhuis verkopen wegens geldgebrek. Dat heb je zelf meegemaakt.'

'Nou ja, het is dan niet helemaal waar wat ze schrijven, maar de werkelijkheid is toch ook romantisch. Dat je weer op je oude stek zit, bedoel ik.'

'Leugens zijn niet romantisch. Ik vind het niet leuk.'

Maarten was in de keuken aan de lunch bezig toen ze binnenkwam. Ze vertelde het verhaal meteen ontstemd aan hem door. 'Vind je ook niet dat we dat recht moeten zetten?' vroeg ze. 'Het is toch gewoon gelogen?'

'Als je het zo erg vindt moet je er werk van maken,' zei Maarten, terwijl hij de soep van de keuken naar de kamer bracht en op de gedekte tafel zette, 'maar ik vind het sop de kool niet waard. Ze hebben er niets kwaads mee bedoeld. Niemand zal je er op aankijken dat je die paar vermeende druppeltjes blauw bloed mist. Je hebt in je verontwaardiging vergeten me een kusje te geven, je moet dat nog goedmaken.'

Het vergeten kusje dat ingehaald moest worden maakte dat de soep koud was toen ze aan tafel gingen.

11

Fleur staarde voor zich uit met het weekblad waarop haar moeder was geabonneerd in haar hand. Ze had net het artikel gelezen over Elines vader, de makelaar Maarten van Tricht die hertrouwd was. Ze vroeg zich af of ze het Eline moest laten lezen. Eline die de sterren voor haar van de hemel zou willen plukken als de noodzakelijkheid zich zou voordoen, was onberekenbaar in haar reactie waar het haar vader betrof. Ze was nog niet vergeten dat ze haar naast een lege wodkafles en een doos met pillen waar de helft uit was, had aangetroffen nadat ze een bezoek aan haar tot dan toe onbekende vader had gebracht.

Dat ze dit verhaal nu net vandaag in dat blad moest lezen, terwijl ze op het punt stond naar Eline toe te gaan om haar heel bijzonder nieuws te vertellen.

Haar ouders waren gisteravond thuisgekomen, ze schenen samen op reis te zijn geweest. In de keuken had haar moeder haar in het oor gefluisterd dat haar vader weer thuis zou komen en dat ze als ze dat wilde nu met Eline in de flat in Utrecht kon gaan wonen. Frans woonde er al vanaf het begin van zijn studietijd maar er was genoeg plaats voor drie personen. Het was een ruime flat met drie slaapkamers, een woonkamer en een keuken. Ze zouden alle drie privacy genoeg hebben.

Fleur was een gat in de lucht gesprongen, toen ze het hoorde, maar vlak daarna was ze toch gaan twijfelen. Zou Eline het wel willen? Ze hadden nu samen twee kleine hokjes op de zolder bij een oude vrouw gehuurd waarvoor ze een krankzinnig hoog bedrag moesten betalen, maar ze hadden toch besloten het onderdak voorlopig maar te betrekken, omdat het aanbod van kamers zo schaars was. Zou Eline zich wel vrij genoeg voelen zo dichtbij haar veel oudere grote broer? Eline was wars van alle gezag. Dat kwam waarschijnlijk door pappie, haar adoptiefvader. Hij had altijd gezegd, 'ik moet jou opvoeden maar dat kan ik niet alleen, we moeten het samen doen. Je moet me helpen'.

Enfin, geen zorgen voor de tijd, dacht ze, ze stopte het weekblad in haar tas en ging op weg naar Eline die ze eerder had opgebeld om haar op haar komst voor te bereiden.

Het voorstel viel tot Fleurs opluchting in goede aarde.

'Je meent het!' riep ze met glinsterende ogen.

'Reken maar dat ik het meen,' zei Fleur verrukt door haar reactie

'Maar de kosten,' aarzelde ze toen. 'Het is een mooie flat, moet ik erg veel meer betalen dan bij juffrouw Koers voor dat kleine hokje?'

'Pap en mam hebben besloten dat je niets mag betalen, je hebt al betaald doordat je me door het eindxamen hebt gesleept. Bovendien neem je me tijdens onze studie ook weer op het sleeptouw.'

'Dat kan Frans ook doen, hij woont dan toch met jou in één flat.'

Fleur schudde beslist haar hoofd.

'Ik heb de hersens van mijn moeder en hij die van mijn vader. Hij zegt na een keer uitleggen al, ik begrijp niet dat je dat niet snapt, het is toch zo eenvoudig.

Nee, Eline, hij kan me niets leren, net zo min als mijn vader mijn moeder iets kan bijbrengen. Zeg nu alsjeblieft maar gauw dat je het doet, dan gaan we er een feestje op bouwen.'

'Ik doe het natuurlijk maar al te graag. Het komt me ook onwijs goed uit, want ik wil zo graag dit huis aanhouden. Je vader wil het voor me verhuren om mijn kontanten wat bij te spijkeren maar ik heb gehoord dat Doro's ouders hier hebben gewoond. Het huis schijnt al heel lang in de familie te zijn. En daarom wil ik hier zo af en toe graag komen, zo met het gevoel, ik ga even naar huis. Het zal maken dat ik me minder alleen op de wereld voel, ja,' haastte ze zich eraan aantoe te voegen, 'ik bedoel natuurlijk wat eigen familie

betreft. Ik was eigenlijk van plan geweest om een advertentie te zetten. Ik wilde me aanbieden als inwonende hulp bij
een oude dame om voor haar te zorgen tegen een kleine ver-
goeding en vrij wonen. Maar dat hoeft nu niet, ik bof geweldig met jullie aanbod.'

Fleur vroeg zich af of dit het juiste ogenblik was om met
het artikel in het weekblad voor de dag te komen. Ze was
mild gestemd, de kans zat erin dat ze er goed op zou reageren. Ze gaf het haar. 'Je moet dit stukje even lezen,' zei ze.

Haar ogen vlogen over de regels, ze gaf het Fleur terug
toen ze het uit had.

'De yub heeft zich verbeterd,' smaalde ze, 'hij zoekt het
duidelijk hogerop. En de freule denkt natuurlijk, zijn geld
stinkt niet. Leuke combinatie. Ze is dus nu al, even rekenen,
ja, mijn vierde moeder. Eerst mammie, die er vandoor ging
met een andere vrijer, toen Doro, daarna, in de verte weliswaar, Lizzy en dan heben we nu de freule. Ook in de verte.
Nu, daar kan ze wat mij betreft mooi blijven. Ik heb geen
boodschap aan haar en aan hem trouwens ook niet.'

Zending mislukt, dacht Fleur. 'Ik dacht dat je het toch
misschien wel wilde weten,' zei ze. 'het lijkt me zo moeilijk
om je vader zo te haten. Het lijkt me dat je zo nooit echt
gelukkig kunt worden. Mannen zijn geen heiligen, dat zie je
aan pap, de liefste vader van de wereld. Je weet dat ik een
poosje met Jimmy bevriend was, nu terwijl hij me koeien
met gouden horens beloofde, ging hij wel op vakantie met
onze goudblonde Isabel, de schoonheid van de klas.
Achteraf snap ik trouwens niet wat ik in hem gezien heb. Ik
denk dat ik me een beetje vereerd voelde door zijn aandacht,
hij was de populairste jongen van de hele school."

'Je hebt je er goed onder gehouden,' merkte Eline op, 'ik
heb je erom bewonderd.'

'Ik denk niet dat het jou ooit zal overkomen,' zei Fleur.

'Och, dat weet ik nog niet. Mijn hoofd heeft nog nooit
naar zulke dingen gestaan, ik had altijd wat anders gehad om

mijn hoofd over te breken, eerst pappie die ziek werd en toen Doro, die…enfin daar weet je alles van. Wie weet wat ik allemaal nog voor stoms ga doen, zeg nooit nooit.'

Je doet nu al stom, dacht Fleur, met die vader van je, maar ze hield wijselijk haar mond.

Marieke legde de zwangerschapstest weg die op positief stond. Alles borrelde in haar van vreugde maar die vreugde nam af als ze eraan dacht dat ze het Maarten zou moeten vertellen. Zou hij er blij mee zijn? Zeker wel als het kind er eenmaal was maar de lange weg er naartoe zou moeilijk voor hem zijn, ze kende hem daar goed genoeg voor. Hoe langer ze de grote op handen zijnde gebeurtenis voor hem verzweeg, hoe korter de tijd dat hij erover in angst hoefde te zitten. Ze liep de badkamer uit naar beneden naar de keuken met het uizticht op de rivier, de keuken was door Lizzy helemaal vernieuwd maar het uitzicht was gebleven, dacht ze. Hier had ze vroeger met haar grootvader en tante Marie aan de grote keukentafel gezeten, ze had er toen al over gedroomd daar te zitten met haar eigen kinderen en met haar eigen man. Die kinderen hadden toen allemaal al gezichtjes gehad, de kleur van het haar en de ogen had ze goed kunnen onderscheiden. Alleen de man had nog geen gezicht, hij had erbij gezeten als een soort dummy. En nu was er een kindje op komst en Maarten, de man van haar dromen, was er. Hij was een soort van angstig bezit, omdat ze nooit zeker van hem was. Zijn goede stemming kon zomaar omslaan in neerslachtigheid. Hij deed er alles aan het voor haar te verbergen. Dat vond ze zo roerend aan hem, hij deed zo zijn best.

Ze had zich net in een stoel in de aangrenzende kamer genesteld toen ze hem de voordeur binnen hoorde komen. 'Ik ben thuis,' riep hij terwijl ze hem de trap op hoorde gaan.

Even later was hij beneden, hij liep op haar toe sloeg zijn armen om haar heen en kuste haar. Toen hield hij haar op een afstand met zijn armen om haar heen en keek haar onderzoekend aan. 'Ik denk dat je me iets vertellen moet,' zei hij.

Het kan niet waar zijn dat hij op mijn toestand doelt, dacht ze, ze voelde dat ze een hoogrode kleur kreeg. 'Hoe kom je daar zo bij?' vroeg ze kwasi onnozel.

Hij drukte zijn gezicht tegen haar hals, ze voelde de stoppeltjes van zijn baard die tegen de avond altijd prikte. Hij drukte zijn lippen op haar wang en kuste haar. 'Ik zag het doosje van de tester in de prullenmand in de badkamer liggen,' zei hij, 'maar ik had het al eerder begrepen, schatje, je ziet 's morgens zo wit om je neus en je lust ineens geen eieren meer en zo zijn er meer dingen voor een oplettende toeschouwer. Ben je er blij mee?'

'O ja, heel erg blij. En jij?'

Hij knikte bevestigend. 'Heel blij en heel dankbaar,' zei hij, 'maar we moeten wel goed op je passen.'

Ze voelde achter haar ogen de tranen prikken. 'Ik moet even huilen,' zei ze.

'Waarom?'

'Van blijdschap,' zei ze, 'omdat jij er ook blij mee bent.'

'Waar zie je me voor aan, dat ik daar niet blij mee zou zijn,' zei hij terwijl hij hoofdschuddend een tissue uit zijn borstzak haalde waarmee hij haar vreugdetranen droogde.

Een paar dagen later trof Marieke Thea voor het ziekenhuis, Thea kwam eruit en zij ging erin. Thea vloog op haar toe, pakte haar bij de schouders en riep: 'Waar denk je, dat ik vandaan kom?'

'In ieder geval uit het ziekenhuis want dat zag ik voor mijn ogen gebeuren,' zei Marieke.

'Ik ben bij de gynaecoloog geweest, en ik ben zwanger!' Ze zei het zo luid dat de voorbijgangers naar haar omkeken, sommigen glimlachten vergoedelijkend.

'Hartelijk gefeliciteerd,' van de weeromstuit fluisterde Marieke het bijna terwijl ze Thea's beide handen greep, 'hartelijk gefeliciteerd. Is Teun ook blij?'

'Helemaal verrukt, zo trots als een pauw.'

'Wat heerlijk voor je, maar zal ik jou nu ook eens wat vertellen. Als je me belooft dat je niet zo hard gaat schreeuwen dat we er last mee krijgen. Alle mensen kijken naar ons.'

'Kan me niet schelen, ik ben blij en dat mag iedereen best weten. Maar zeg niet dat je ook zwanger bent, want dat zou gewoon te gek zijn.'

'Het is gewoon te gek,' antwooordde Marieke.

'Ongelooflijk,' zei Thea nu bijna beduusd en sloeg haar hand voor haar mond. 'Meid toch.'

'We praten er later verder over,' zei Marijke met een blik op haar horloge, 'er zit een patiënt op me te wachten. Dag, tot heel gauw.'

Ze liep in een stralende stemming het ziekenhuis binnen. Zou iedereen nu zien hoe blij ik ben, vroeg ze zich af. Het moest haast wel. Ze had het gevoel dat ze haar blijdschap met spetterende lichtbundels uitstraalde.

Dat gevoel hield stand, de weken regen zich aaneen tot maanden en iedere ochtend was er weer dat gevoel van er gaat iets fijns gebeuren Soms moest ze even nadenken als ze 's morgens wakker werd maar heel kort daarna wist ze het weer, ik krijg een kind en ik kom iedere dag dichter bij het ogenblik dat het er zal zijn. Er waren zelfs avonden dat ze er niet van kon slapen, dat ze zomaar wakker bleef omdat ze zo blij was.

Eline en Fleur waren nu helemaal ingeburgerd in hun nieuwe leven, de studie, de medestudenten en de feestjes, alles had een plaats in hun leven gekregen. Fleur vroeg zich wel eens af of Eline het gezamenlijk wonen in de flat wel beviel. Soms zei ze tegen het weekeinde ineens, ik ga even een paar dagen naar huis, ik ben zondagavond weer terug. Ik heb geen corvee deze week, dus dat komt goed uit. Frans en Fleur zeiden er nooit iets over. Soms gingen ze ook naar huis, naar hun ouders maar Fleur verkoos de stilte van haar eigen huis.

Op zulke dagen vroeg Fleur zich dikwijls af of ze er wel goed aan had gedaan om nooit met haar vader over Elines problemen te spreken. Eline had het haar niet verboden en haar vader was Elines voogd geweest tot haar meerderjarigheid. Haar vader zou misschien maatregelen hebben genomen om met de vader van Eline in contact te komen. Elines vader zou dan geweten hebben dat hij een dochter had en dat zou misschien een begin van toenadering tussen hen zijn geweest. En nu bleef alles zoals het was. Fleur vermoedde dat Eline niet gelukkig was met de situatie. Ze durfde er nooit met haar over te beginnen, Eline had ergens een muur staan, die betekende tot hier en niet verder. Toen ze op een avond later thuiskwam dan haar gewoonte was, trof ze Eline in tranen in de huiskamer aan. Ze veegde ze snel weg toen Eline binnenkwam en begroette haar niet erg vrienelijk met een 'Ik dacht dat jij allang naar bed was. Wat moet je zo laat nog in de stad.' Het was een vraag waarop ze geen antwoord verwachtte want ze liep meteen de kamer uit en verdween in haar eigen kamer.

Ik moet er wat aan doen, dacht Fleur. Maar wat? Ze besloot er niet met haar vader over te spreken, maar dit probleem zelf op te lossen, althans een poging daartoe te doen. Ze ging gewoon naar die vader toe en zou hem vertellen dat hij een dochter had en de rest moest hij dan zelf maar uitzoeken. Ze overdacht de verschillende mogelijkheden om met hem in contact te komen. Ze kon naar zijn zaak gaan en hem gewoon overvallen met haar bezoek, maar als drukke zakenman zat hij natuurlijk niet op haar te wachten. De kans was groot dat ze hem niet te spreken kreeg, of omdat hij in bespreking was en daarna vol zat met nieuwe afspraken of omdat hij om andere redenen niet bereikbaar was. Hij kon wel in het buitenland zitten. Voor zijn deur wachten tot hij ooit eens thuiskwam was dus onzin. Ze moest hem maar gewoon aan de de telefoon zien te krijgen om zo een afspraak te realiseren.

De eerste poging mislukte al totaal. Ze kreeg een dame aan de lijn die wilde weten waarover ze hem moest spreken, toen ze zei dat het over een privéaangelegenheid ging kreeg ze het advies dan zijn huisnummer te bellen. Op Fleurs vraag of ze haar dat nummer even wilde geven kreeg ze ten antwoord dat zijn privénummer niet kon worden doorgegeven.

Fleur begreep dat aandringen geen zin had. Ze legde neer en belde inlichtingen waar ze te horen kreeg dat het bewuste nummer geheim was. Had ze kunnen weten. Maar wat nu?

Ze besloot toch de vesting maar zonder afspraak te bestormen. Ze zou misschien een paar keer terug moeten komen, maar dat moest ze ervoor over hebben.

Ze stond de volgende ochtend vroeg op, liet een briefje achter met de mededeling dat ze die avond pas laat terug zou zijn en sloop het huis uit om de eerste trein naar zijn woonplaats te nemen. De bus vanaf het station stopte dicht bij zijn kantoor. Ze ging op het muurtje zitten dat de groenstrook om het grote flatgebouw van de stoep afsloot. Het was winterdag met een temperatuur om het vriespunt, ze zag haar adem als een mist voor zich uit de ruimte ingaan. Ze liep heen en weer, durfde bang als ze was hem toch nog te missen, niet te ver van de voordeur te gaan. Er kwam iemand aan, een oudere man, hij kon het niet zijn. Ze zag hoe hij zijn sleutels tevoorschijn haalde, ze liep achter hem aan, misschien lukte het achter hem naar binnen te gaan. Het was een kantoorgebouw, niemand kende daar iedereen. Het lukte, hij liet haar zelfs voorgaan toen hij zag dat ze ook naar binnen wilde. Hij wilde haar ook in de lift voorrang geven maar ze zei dat ze op iemand moest wachten en ze nam op de bank in de hal plaats. Hier kon ze hem niet missen, dacht ze en ze zat warm. Als hij de hele dag niet verscheen, had ze pech gehad.

Ze moest dan als iedereen het kantoorgebouw verlaten had gewoon terug naar huis gaan. Daar eens goed nadenken over andere mogelijkheden hem te treffen en op een andere dag terugkomen. Ze overwoog zijn woonhuis op te zoeken maar verwierp dat idee. Hij was weer getrouwd, misschien was het voor zijn nieuwe vrouw geen leuke boodschap dat ze er meteen een volwassen dochter bij kreeg. Misschien was hij er zelf ook helemaal niet blij mee. Niet zeuren, dacht ze, als ik zo doorga keer ik straks nog onverrichter zake spoorslag terug, ik moet nu doorzetten.

Ze had zeker al twintig mensen aan zich vooorbij zien gaan en in de lift zien verdwijnen, toen ze hem zag aankomen. Eline had gezegd dat ze op hem leek en deze man moest daarom haar vader zijn, dezefde middenblonde haarkleur, dezelfde donkere ogen, dezelfde oogopslag. Ze liep op hem toe. 'U bent meneer Van Tricht, nietwaar?' vroeg ze.

Hij fronsde op dezelfde manier als Eline dat kon doen zijn wenkbrauwen. Hij beantwoordde haar vraag niet maar vroeg lichtelijk geïrriteerd: 'Waar gaat het over? Komt u misschien over de huishuur praten? Dan moet ik u doorverwijzen naar een van mijn medewerkers.'

'Ik kom niet voor de huur, ik woon hier helemaal niet. Ik zit hier al drie uur te wachten in de hoop u te ontmoeten. Sta me alstublieft te woord, het gaat over een strikt privéaangelegenheid. Mijn vriendin is vorig jaar bij u geweest, ze kwam voor een sollicitatie…'

'Ik heb nog steeds geen vacature, ik moet zelfs mensen ontslaan,' onderbrak hij haar, terwijl hij zijn sleutelring in zijn broekzak stak, 'het spijt me echt maar in deze tijd kan niemand banen uit zijn hoge hoed toveren.'

Ze zag hoe hij zijn stappen naar de lift wilde richten, ze pakte de mouw van zijn dikke winterjack vast. 'U móét me te woord staan, meneer Van Tricht, zegt de naam Dorothea Haagsma u iets? Volgens mijn inlichtingen was uw laatste ontmoeting met haar ongeveer negentien jaar geleden.'

Ze zag zijn gezicht grauw worden, zijn kaken leken nu iets uit te steken, hij keek achter zich naar de voordeur waardoor weer mensen binnenkwamen. 'Die naam zegt me zelfs heel veel,' zei hij toen strak, 'wilt u me volgen naar mijn werkkamer.'

Ik had het anders moeten aanpakken dacht Fleur, hij lijkt me totaal van de kook. Wat kan er nog gebeuren als ik hem straks mijn verhaal ga doen? Ze voelde paniek in zich opkomen. Waar bemoeide ze zich mee, iedereen moest toch zelf weten hoe hij zijn leven wilde leven? Eline had ervoor gekozen haar vader niet te ontmoeten, moest zij dan zo nodig voor voorzienigheid spelen? Gans die ze was, ze had thuis moeten blijven vanmorgen in haar lekker warme bed, dat was heel wat beter geweest.

Toen ze zijn kamer binnenkwamen scheen hij zich weer onder controle te hebben, zijn kleur was weer normaal. 'Mag ik uw jas aannemen,' zei hij, 'dan heeft u er straks buiten meer aan. Gaat u zitten,' zei hij toen terwijl hij zelf aan de andere kant van de tafel tegenover haar plaatsnam. 'Ik ken Doro heel goed, ik heb een poosje een relatie met haar gehad,' vervolgde hij op volkomen beheerste toon. 'Ik vind het jammer dat ze niet zelf naar me toe is gekomen, ik zou haar graag nog eens spreken.'

'Zelf kan ze niet meer komen,' zei Fleur die de spanning in haar iets voelde verminderen, 'ze is overleden. Al een paar jaar geleden. Ze heeft een dochter nagelaten, mijn vriendin Eline die bij mij in de klas zat en me bij alles heeft geholpen om mijn einddiploma te halen. Ik ben geen licht, zij wel. We studeren nu samen in Utrecht, we wonen daar met mijn broer in de flat van mijn ouders. Niemand, behalve ik, weet dat u Elines vader bent. Ze mist u. Ze is bij u geweest vorig jaar, maar iets weerhield haar u te vertellen wie ze was. Ze was, toen ze terugkwam van haar bezoek aan u, helemaal van de kook. We hadden voor de volgende dag een afspraak, ik vond haar 's morgens op de vloer van de zitkamer met een fles wodka, die bijna leeg was, en een doosje kalmerende tabletten waar ook het meeste uit was. Het was een geluk dat ze had overgegeven en dat het meeste er wel uit zal zijn geweest, maar ik kon haar toch moeilijk wakker krijgen. Ze wilde er geen eind aan maken, zei ze en dat geloof ik wel, ze wilde eens één keer alles vergeten en niet hoeven denken. Dat gaf ze als reden op, maar toch ben ik er niet gerust op. Weet u, ze voelt zich ongelukkig zonder u. Dat is het, denk ik.'

Ze had hem al pratende gadegeslagen, hij zat daar roerloos, met zijn elleboog op zijn knie en zijn hand tegen zijn voorhoofd wat het grootste gedeelte van zijn gezicht bedekte. Ze praatte maar door omdat ze bang was voor de stilte die dan zou ontstaan. Wat zou hij zeggen? Hoe zou hij reageren? Ten slotte zweeg ze.

Hij nam zijn hand van zijn voorhoofd, streek ermee over zijn gezicht, rechtte toen zijn rug en keek haar aan. 'Het is heel lief en heel moedig van jou naar me toe te komen,' zei hij met enigszins omfloerste stem 'ik ben je daar heel dankbaar voor. Hoe heet je eigenlijk?'

'Ik ben Fleur Hoekstra. Na Doro's overlijden is mijn vader tot haar meerderjarigheid Elines voogd geweest.'

'Hoe wist je eigenlijk wie ik was, we kennen elkaar niet.'

'Eline zei dat ze op u lijkt en dat is ook zo. Ik heb wel dertig mensen binnen zien komen voor u kwam en ze waren het allemaal niet.' Ze glimlachte toen ze het zei. Er was haar een steen van het hart gevallen. Hij was nog wel erg ontdaan, maar hij had zich ondertussen aardig hersteld.

'Zij is bij mij geweest en nu ben ik aan de beurt om naar haar toe te gaan,' zei hij na enig nadenken. 'Heb je enig idee hoe ik dat het beste kan aanpakken? Maar wacht eens, jij hebt hier al zo lang gewacht en je bent al zo lang onderweg, je zult wel zin in koffie hebben. Ik laat dat eerst even brengen.'

De koffie bracht een zekere ontspanning teweeg en zo kon

Fleur gemakkelijker haar verhaal vervolgen. 'Ze is heel moeilijk te benaderen,' begon ze. 'Gewoon een afspraak met haar proberen te maken is geloof ik niet de goede weg. Ze heeft u benaderd zonder afspraak, ik denk dat u dat ook het beste kunt doen. Volgend weekeinde gaan we alle drie weer een paar dagen naar huis, Frans en ik naar mijn ouders en zij naar haar eigen huis. Ze woont nog steeds in het huis van Doro, dat heeft ze van haar geërfd. Ik kan zorgen dat ze thuis is door een afspraak met haar te maken. Ik ga dan naar haar toe en vertel haar dat u haar graag wilt ontmoeten, ik geloof niet dat ze een ontmoeting met u zal weigeren. Ik moet natuurlijk afwachten of ze me nadien nog een blik waardig zal keuren, maar dat risico moet ik gewoon nemen. Ze kan heel bokkig zijn, ik kan niet zeker zeggen of u de eerste keer al succes bij haar zult hebben. Maar het is in ieder geval een begin. Ze heeft pas ontdekt dat ze geadopteerd was toen Doro al erg ziek was. Eline heeft toen een gesprek afgeluisterd tussen haar moeder en haar huisarts. Ze heeft hem niet verteld dat Eline haar dochter was, maar de huisarts raadde het. Ze heeft hem toen op het hart gedrukt het niet aan haar dochter te vertellen, omdat zij heel tevreden met haar verleden was en van haar adoptiefvader veel gehouden heeft en dat haar eigen vader niet van haar bestaan afwist. U zou haar geld hebben gegeven voor een abortus en nooit meer iets van u hebben laten horen. Ze vergeet daarbij dat Doro u nooit heeft laten weten dat u een dochter had. Wat volgens mij ook geen schoonheidsprijs verdient. Ze is heel onredelijk in dat opzicht. Ze...ja, ze haat u daarom, het is vervelend dat ik het u moet zeggen, maar in dit geval kunt u het beter maar weten. Dat gesprek vond ongeveer een halfjaar voor Doro's overlijden plaats en al die tijd heeft Eline het voor zich kunnen houden dat ze wist, dat Doro haar moeder was. Ze heeft gedaan alsof ze het niet wist omdat Doro dat zo het liefst had. Eline is een heel sterke persoonlijkheid, ze kan zoiets wel, maar dat u haar vader bent, daar weet ze geen weg mee.'

Hij keek enkele ogenblikken voor zich uit en zei toen: 'Dat arme kind, ik kan heel goed begrijpen dat ze het moeilijk heeft. Ik zal graag die afspraak die jij voorstelt met je maken. Zou dat zaterdagmorgen kunnen? Ik weet waar ik moet zijn, vroeger heb ik in dat huis wel gelogeerd toen Doro's ouders daar nog woonden. Haar vader was in diplomatieke dienst, hij heeft dat huis dus altijd aangehouden naar ik nu begrijp. Ik wil nog eens benadrukken dat ik je heel dankbaar ben dat je dit allemaal voor Eline hebt willen doen. Ik ga nu in orde maken dat iemand van mijn garage je naar Utrecht brengt, zodat je op een gemakkelijke manier thuiskomt.'

Toen hij met haar meeliep om haar uit te laten draaide ze zich bij de deur naar hem om.

'Ik moet u nog iets zeggen,' zei ze, 'ik denk dat het belangrijk is dat u het weet. Ze wil haar moeder wreken zegt ze en ze denkt er al een hele tijd over na hoe ze u het beste een loer kan draaien, zoals ze dat noemt. Ze heeft al eens geprobeerd een negatief verhaal over u in een weekblad te krijgen, maar dat is gelukkig mislukt. Ik zou het naar vinden als haar iets anders wel lukte. Misschien kunt u het voorkomen nu u van haar plan op de hoogte bent. Bij dat bezoek aan u vorig jaar, had ze ook al niet veel goeds in de zin, maar het mislukte waarschijnlijk ook en ik geloof dat ze daardoor zo ontredderd was.'

'We moeten maar zien,' zei hij, 'ik begrijp dat het allemaal niet eenvoudig zal worden.'

Toen ze vertrokken was drong de volle waarheid pas tot hem door. Hij had een volwassen dochter van achttien jaar en hij had haar al ontmoet. Hij trachtte zich het meisje dat hem vorig jaar een bezoek had gebracht in herinnering terug te brengen. Het was een heel knap meisje, want hij had nog gedacht toen hij haar had afgewezen, die vindt haar weg ook wel zonder mij. Hij herinnerde zich nu ook dat ze vreemd had gereageerd, toen hij had gezegd dat hij zelf de door haar gezochte Van Tricht was. Ze had op dat ogenblik beseft dat ze voor haar vader stond.

Wat zou Marieke van dit alles zeggen? Hij keek op de klok, het liefst zou hij nu meteen naar haar toe gaan maar zijn volgende afspraak was al binnen tien minuten. Het was misschien ook wel beter om te wachten tot vanmiddag als hij thuiskwam en de dag erop zat. Hij kon nu alles nog wat laten bezinken en zijn volgende afspraak zou hem wat afleiden van deze grote verandering in hun leven, die ongetwijfeld nog heel wat problemen zou geven.

Het was pas na het eten dat hij erover begon. Ze zaten in de haardkamer naast elkaar op de bank en dronken hun koffie. Ze hadden net de nieuwsberichten gezien. Marieke knipte de televisie uit en zei

'Er is iets, vertel het maar. Ook als het niet zo prettig is.'

Hij ging onwillekeurig weer zitten zoals hij zat toen Fleur het hem vertelde, elleboog op zijn knie, zijn hand aan zijn voorhoofd.

'Eigenlijk is het een wonder, zo heb ik het tenminste ervaren, maar het is ook schokkend,' begon hij. 'Ik heb vanmorgen gehoord dat ik een dochter heb van achttien jaar en ik heb haar ook al eens ontmoet zonder dat ik wist wie ze was.'

Er volgde even een stilte en toen zei Marieke: 'Dus heeft er destijds nooit een abortus plaatsgevonden. Ik ben natuurlijk perplex maar ik vind het wel geweldig. Vertel, waar is ze, hoe ziet ze eruit? Wat een ongelooflijk nieuws. Ik wil haar natuurlijk ook gauw ontmoeten.'

Hij sloeg zijn armen om haar heen. 'Wat lief van je dat je het zo opvat, ik zag er erg tegenop het je te vertellen,' zei hij. 'Maar zo eenvoudig is het allemaal niet.'

Toen hij haar het hele verhaal had gedaan, zei ze: 'Ik zal maar niet direct met je meegaan, ze zal het niet prettig vinden ook nog plotseling met een stiefmoeder geconfronteerd te worden. Maar je kunt mij wel ergens in een restaurant afzetten dan kan ik daar op je wachten. Misschien komt ze wel met je mee dan kunnen we met zijn drieën lunchen.'

Als het zo eens was, dacht hij. Hij zag het somber in.

12

Hij zou die bewuste zaterdagmorgen nooit vergeten. Hij kende de plaats waar Doro gewoond had heel goed. Hij had ooit bij haar gelogeerd vlak voor haar ouders naar Zuid-Afrika waren vertrokken. Hij liet Marieke achter in het restaurant waar Doro en hij eens met haar ouders hadden gegeten. Allemaal herinneringen.

Hij reed naar de straat waar ze gewoond had, moest even naar het huis zoeken. Hij herinnerde zich de eik naast het huis, de boom was niet eens zoveel groter geworden. Hij was toen al groot en had volgens hem allang boven het dak uit moeten steken. Maar eiken groeiden immers langzaam.

Hij belde aan, hij verwachtte dat Eline open zou doen, er ging een teleurstelling door hem heen, ze wilde niet, het was niet gelukt, Fleur deed open.

'Komt u verder,' zei ze. 'Ik ben voor alle zekerheid gisteravond nog even bij haar geweest, toen heb ik het verteld. Ze zou erover nadenken en toen zei ze vanmorgen dat ze u zou ontvangen. Als ze het niet had gewild had ik u gebeld, dan had u dat eind niet hoeven komen.'

'Lief van je, dank je wel,' zei hij en toen deed ze deur van de vestibule open, hij liep de bekende gang door. Eline kwam hem halverwege de kamer tegemoet.

'Op de televisie zouden we elkaar nu in de armen hebben moeten vliegen,' zei ze, terwijl ze een hand naar hem uitstak.

'In *Spoorloos*, bedoel je. Ik hoop dat het nog wel eens gebeurd,' zei hij, terwijl hij haar hand vasthield en haar aankeek.

Ze leek ouder dan achttien, ze keek met de blik van een wijze vrouw toen ze zei: 'In het werkelijke leven gaat het anders. Gaat u zitten, dat had ik eerder moeten zeggen. Wat onbeleefd van me, mijn vader heeft me altijd geleerd dat ik beleefd moet zijn tegen vreemde mensen.'

Zo, ze zag dat het lekker hard bij hem aankwam, hij had even met zijn ogen geknipperd. Ze genoot van de dreun.

'Ik hoop dat we niet altijd vreemden voor elkaar blijven,' zei hij. 'Zo vreemd zijn we nu ook weer niet, het is al de tweede keer dat we elkaar ontmoeten. De vorige keer kwam je bij mij, nu kom ik bij jou.'

Ze werden onderbroken door Fleur die binnenkwam met de koffie. Ze zette de kopjes voor hen neer en zei tegen Eline: 'Ik ga nu naar huis, zoals afgesproken.' Ze gaf Maarten een hand en keek hem even schuw aan. 'Tot ziens,' zei ze zachtjes en liep vlug de kamer uit.

Hij had alleen naar Fleur geknikt, hij had haar niet nog eens willen bedanken, dat was voor Eline waarschijnlijk olie op het vuur geweest.

Ze hervatte het gesprek door te zeggen: 'Ja, ik ben inderdaad bij u geweest, maar niet om zoete broodjes te bakken. Ik kwam echt om een baantje, maar dat lukte niet. Ik wilde bij u komen om u van dichtbij gade te slaan en de sfeer om u heen eens flink te verzieken. Sinds Doro's dood heb ik er eigenlijk al over nagedacht hoe ik u het beste treffen kan voor alles wat u mij en mijn moeder hebt aangedaan. Eigenlijk al eerder, al vanaf het ogenblik dat ik wist dat ik geadopteerd was. Ik heb door uw schuld mijn hele leven in een leugen geleefd. Nou ja, u had me uit de weg willen ruimen maar dat is niet gebeurd. Doro durfde dat, denk ik, niet. Ze heeft me doorgeschoven naar de buren en dat is voor mij goed uitgevallen. Een betere vader dan pappie had ik nooit kunnen krijgen. Maar het gaat mij om Doro. U hebt haar toen de laan uitgestuurd met wat geld om me kwijt te raken en u hebt nooit meer iets van u laten horen. Ik heb op school twee keer meegemaakt dat een meisje zwanger was. Het was voor hen een regelrechte puinhoop, dat kan ik u vertellen en de desbetreffende jongens merkten er weinig of in ieder geval veel minder van. Een van de vaders was trouwens een loverboy. Ook al zo fraai. Als Doro nu een stevige onverschillige tante was geweest, dan was het nog wat anders. Maar om zoiets met haar te lappen, zwak en hulpeloos als ze was, dat vind ik gemeen. U bent dan wel een man, maar u had zelfs toen allang kunnen weten dat je na een abortus best een arm om je heen kunt gebruiken. Toen ze in plaats van een abortus een kind had gekregen had ze helemaal uw hulp nodig gehad. U wist niet van dat kind, zult u nu zeggen. Dat is zo, maar als u nog eens fatsoenlijk naar haar had om gekeken, had u wel geweten dat ze mij op de wereld had gezet. En daarom is ze haar hele leven een verschrikt vogeltje gebleven.'

Toen ze uitgesproken was bleef het even stil.

Het had geen zin om met haar in discussie te gaan, dacht hij. Ze zag in hem een soort van barbaar en dat zou hij voorlopig maar laten voor wat het was. Als hij haar zou vertellen van zijn spijt en wroeging, omdat hij nooit meer moeite had gedaan om Doro terug te zien, zou dat niet helpen.

'Ik betreur wat er is gebeurd, meer dan ik zeggen kan,' zei hij, 'maar ik kan de tijd niet terugdraaien. Ik kan alleen proberen in de toekomst iets voor je te betekenen om zo hopelijk nog een beetje goed te maken van wat ik vroeger bedorven heb. En ik hoop dat je me daarvoor de kans wilt geven. Je op mij wreken heeft niet veel zin, denk ik, we worden er geen van beiden beter van.'

'Ik zin niet meer op wraak,' zei ze, 'alleen al omdat het niet meevalt iemand goed te raken. Ik denk dat het leven er zelf wel voor zal zorgen.'

Ze schiet werkelijk met het zwaarste geschut dat ze vinden kan om zich heen, dacht hij. Wat moet ik hierop zeggen?

'Wilt u nog koffie?' vroeg ze toen.

Hij aarzelde even met zijn antwoord maar toen vatte hij moed en zei: 'Mijn vrouw Marieke wacht in het Raadshotel op me, mag ik je vragen met me mee te gaan om kennis met haar te maken? Ze zou je heel graag willen ontmoeten.'

Ze stemde toe, hij kon het bijna niet geloven. Maar hoe

zou ze Marieke tegemoet treden. Zou ze net zo tenenkrommend beledigend tegen haar zijn als tegen hem. Hij moest het maar afwachten. Marieke kon doorgaans veel verstouwen, ze wist met mensen om te gaan.

Marieke kwam hen al tegemoet toen toen ze het hotel binnen waren gekomen en hij Elines jas aannam om aan de kapstok te hangen. 'Wat fijn dat je meegekomen bent,' zei Marieke met uitgestoken hand op Eline toekomend, 'ik ben Marieke.'

Ze weigert die hand, dacht Maarten, och, laat ze dat alsjeblieft niet doen.

Het viel mee, ze nam de hand aan, maar ze zei koeltjes: 'Dag mevrouw, ik had me u heel anders voorgesteld.' Met een blik op Mariekes zichtbaar zwangere buik dacht ze, er was een kind op komst en hij was met haar getrouwd en met haar moeder niet, het maakte haar rebelser dan ooit tevoren.

'U bent al mijn vierde moeder of iets wat ervoor doorgaat. Ik grossier erin maar ze verdwijnen allemaal weer als sneeuw voor de zon,' zei ze.

Dit was mooi genoeg, dacht Maarten en hij zei met een enigszins scherpe klank in zijn stem. 'Eline we gaan aan het tafeltje daar bij het raam zitten, dat heeft Marieke voor ons uitgezocht.' Met een dwingende arm om haar schouder leidde hij haar daar naartoe.

Op de een of andere manier scheen die dwingende arm haar enigszins te kalmeren, op de achtergrond van haar denken wist ze dat ze onredelijk was, maar wilde daar niet aan toegeven. Ze voelde dat ze vuurrood was van emotie, ze zag de tengere, schuwe Doro voor zich, ooit had zij in Doro's buik gezeten, net als die baby nu bij haar vaders nieuwe vrouw. Die baby en zij waren van dezelfde vader. Het zou haar broertje of zusje worden, het kind zou opgroeien met zijn eigen ouders, zijn eigen vader en moeder. En zij was vroeger weggegeven, doorgeschoven naar de buren. Ze was jaloers op dat kind.

De ober doorbrak de stilte met de vraag wat ze voor de lunch wensten te gebruiken. Toen Marieke en Maarten hetzelfde bestelden, sloot Eline zich daarbij aan en zei dat ze dat ook nam. Haar woede was gezakt, had plaats gemaakt voor een leeg gevoel van moedeloosheid. Ze zou het liefst in huilen zijn uitgebarsten. Als dit bezoek maar eerst voorbij was, dacht ze, al het andere zou ze wel zien. Marieke praatte wat over het weer dat meegevallen was na de weersberichten van gisteren en Maarten had het over de drukte op de weg. Er werd niet veel gegeten.

Het was een opluchting voor alle drie toen Maarten voorstelde Eline thuis te brengen, hij zou dan later terugkomen om Marieke op te halen.

Toen Maarten voor het huis van Eline de auto stopte en Eline een gebaar maakte om uit te stappen, zei hij terwijl hij zijn hand op haar schouder legde: 'Ook als de baby er is, blijf jij mijn oudste dochter met alle rechten van dien. Ik zou graag willen dat je mijn naam krijgt. Als je er niets op tegen hebt kan ik dat in orde maken.'

'We zien wel,' zei ze bijna toonloos. Ze stak haar hand uit naar het handvat van het portier en deed de deur open, hij ging met haar mee naar de voordeur.

'Dag,' zei hij voor ze het huis binnenging, hij gaf haar geen hand, hij gaf haar een kusje op haar wang.

Ze zei niets maar rende naar binnen, de deur gooide ze met een klap achter zich dicht. Ze strompelde naar de bank, stak daar haar hoofd in de kussens en huilde en huilde.

Even later werd er aangebeld, ze zag uit het raam dat Fleur voor de deur stond. Ieder ander zou ze hebben laten staan maar voor Fleur deed ze de deur open. Ze deed geen moeite haar betraande gezicht te verbergen.

'Is het misgegaan? Was hij niet aardig voor je?' vroeg Fleur met een angstig gezicht achter Eline aanlopend naar de kamer. 'Hoe kan dat nou?'

'Wat kon er misgaan,' zei Eline schouderschokkend, 'hij

was aardig, deze keer wel. Poeslief kun je zeggen. Zij was er ook. Ze zat in het Raadshotel op hem te wachten, hij vroeg of ik mee wilde gaan om kennis met haar te maken. 'Dat zou ze prettig vinden,' zei hij. 'Ik dacht: dat doe ik maar, waarom niet.' Ik wilde ook wel eens zien wat hij nu weer aan de haak had geslagen. Ik had me haar anders voorgesteld, veel ouder en een beetje uitgedroogd en ouderwets. Waarom ik dat dacht, weet ik niet. Misschien omdat in het verhaal in dat weekblad stond dat ze een freule is. Ze is in verwachting, haar dikke buik was het eerste dat ik zag. Ze zijn heel close samen, niet dat ze elkaar aanraakten of zo, ze zaten helemaal niet naast elkaar. Maar je kon het merken aan hun houding, de manier waarop ze elkaar aankeken. Ik voelde me zo buitengesloten, en dan die baby die op komst is…Wat moet ik daarbij?'

Ze is jaloers op die baby, dacht Fleur verdrietig. Als die er niet was, zou het misschien wel goed zijn gegaan. 'Ben je daar lang geweest?' vroeg ze.

'Daar heb ik niet op gelet, het was in ieder geval lang genoeg, we hebben wat gegeten en toen heeft hij me thuisgebracht. Hij vroeg of ik zijn naam wilde hebben dan zou hij dat orde maken.'

'Wat heb je gezegd?' vroeg Fleur vol spanning.

'Ik heb niet veel gezegd. Ik moest zo huilen en dat wilde ik niet doen waar hij bij was. Ik zei zoiets van dat zie ik nog wel en toen gaf hij me een kusje en ben ik vlug naar binnen gegaan en heb de deur voor zijn neus dichtgesmeten.'

Madame is wel coöperatief, dacht Fleur ironisch. Ze had dit kunnen verwachten. Ze had spijt dat zij het was die deze ontmoeting had bewerkstelligd. Ze had het gedaan om wat bij te dragen tot Elines levensgeluk. Ze was vroeger voor Doro ziek werd, zo anders geweest. Ze hadden samen veel afgelachen om allerlei nonsens maar sinds die tijd was ze in zichzelf gekeerd. Het was ook niet gering wat ze had meegemaakt, het besef dat je al die tijd bij je moeder hebt gewoond, terwijl ze had gedacht dat ze haar kostjuffrouw was. En dan die lange weg met haar naar het einde. Ze moest er niet aan denken. Het was nog een wonder dat ze er zo was af gekomen. Misschien was nu die confrontatie met haar vader net te veel voor haar geweest.

Door mijn schuld, dacht Fleur. Ze had zich wel te veel verbeeld dat ze dat door haar toedoen allemaal even in het juiste spoor kon leiden.

'Ik heb het allemaal goed bedoeld,' zei ze, 'ik wilde je blij maken en nu is het tegendeel ervan gekomen.'

'Was ik er maar nooit achter gekomen dat ik geadopteerd ben,' zei ze. 'Doro had helemaal gelijk toen ze besloot het me niet te vertellen. Ik was echt tevreden met alles zoals het was, pappie was een geweldige vader en ik had hem helemaal voor me alleen. Had ik dat gesprek van Doro met de huisarts maar nooit afgeluisterd. Luisteraars aan de wand horen hun eigen schand, luidt het spreekwoord. Schande is het wel niet maar voor mij is het ook niet veel goeds.'

Fleur ging daar maar niet verder op in. Pappie had ze voor zich alleen, zei ze net. Daar wrong de schoen natuurlijk ook. Haar echte vader had een gezin en ze voelde zich er maar een beetje bij hangen. Ze was jaloers en ze was verwend.

'Mam vroeg of je vanavond komt eten,' zei ze.

'Graag,' zei ze meteen, 'ik heb niet veel honger, in het hotel kon ik ook al weinig door mijn keel krijgen, maar ik zie er tegenop om alleen te zijn. Dat had ik vroeger nooit en ik moet tegenwoordig ook zo veel huilen, idioot gewoon.'

Daarom ben ik naar je vader gegaan, dacht Fleur, ik had gehoopt dat het zou helpen. Misschien komt het nog, dacht ze maar ze zei het niet. Ze stond op.

'Ik ga nu naar huis. Toen je me destijds vertelde dat Doro je moeder was heb ik er pas veel later met mijn ouders over gesproken, omdat jij daar niets tegen had. Maar ik heb hen op het hart gedrukt dat ze er niet met jou over moesten praten. Daaraan hebben ze zich netjes gehouden, zoals je hebt gemerkt. Maar misschien zou je het nu eens met mijn vader over de hele situatie kunnen hebben.'

'Het is lief van je dat je zo met me mee probeert te denken. Maar ik moet er zelf uitkomen. Niemand kan me daarbij helpen,' zei ze afwerend.

Fleur onderdrukte een zucht.

'Denk er dan ook eens aan dat je heel wat zult missen als je hem en zijn familie afwijst. Een klein broertje of zusje is toch schattig, je hebt dan echt iets wat ook bij jou hoort. Je kunt het helemaal zien opgroeien, misschien lijkt het wel een beetje op je. Dat is toch allemaal enig. En je vader vind ik echt een lieverd. Ik had zo met hem te doen toen ik alles over je vertelde. Hij zag gewoon grauw van ellende. Hij wil toch ook het beste met je. Hij wil je zelfs zijn naam geven. Hij heeft het natuurlijk niet goed gedaan met Doro maar ik heb je al meer gezegd, iedereen maakt fouten. Bovendien was hij toen heel jong, nog jonger dan wij nu zijn. Wat mijn vader gedaan heeft is ook erg jammer. Hij is dan nu weer bij ons terug maar dat was voor mijn moeder ook moeilijk. Voor Frans en mij ook trouwens. Je bent heus niet de enige die over iets heen moet stappen. Maar ik kan praten als Brugman, je luistert toch niet naar me. Ik zal het er maar niet eens over hebben hoe het zal gaan als je zelf nog eens een kardinale fout maakt, dan zou het in ieder geval prettig voor je zijn als de benadeelde partij een beetje consideratie met je had. En niet zoals jij hoog te paard blijft zitten, terwijl een ander het vuur uit zijn sloffen voor je loopt. Nou, tot straks dan maar, ik zie je bij het eten.'

Deze keer was het Fleur die de deur onzacht achter zich dichtdeed. Ze had er geen flauw idee van dat haar woorden deze keer een schot in de roos waren geweest. Eline ging erover nadenken of ze alles wel goed had gedaan.

'Dat was geen groot succes,' zei Maarten toen ze al een poosje onderweg naar huis waren.

'Het is een begin en dat is al heel wat,' zei Marieke. 'Je hebt wel een heel mooie dochter, Maarten, gewoon een schoonheid. Ik geloof niet dat ze daar zelf erg in heeft.' Hij glimlachte even. 'Had ze dat maar wel, zou je bijna zeggen,' zei hij.

'Ze heeft er nog geen tijd voor gehad,' meende Marieke, 'ze heeft zo veel andere dingen aan haar hoofd, dat komt nog wel.'

Thuis had Maarten twee berichten op zijn voicemail, allebei van Thea.

'Maarten, bel alsjeblieft gauw terug, ik zit in moeilijkheden.' Dat was de eerste.

En de volgende luidde al even gealarmeerd. 'Maarten, het is echt dringend. Ik heb de politie gebeld, ik hoop dat ik er goed aan heb gedaan.'

'Over afleiding gesproken,' zei hij tegen Marieke, terwijl hij Thea's mobiel nummer intikte, 'Thea heeft de politie gebeld, dan moet er nogal wat aan de hand zijn.'

Hij kreeg meteen verbinding. 'O, gelukkkig dat je er bent,' hoorde hij Thea opgewonden zeggen. 'Het gaat over het huis van mevrouw Sanders, ze heeft immers door jouw tussenkomst een bovenhuis van de gemeente gekregen, omdat ze na haar scheiding de huur niet meer kon betalen. Ze was er heel blij mee en is vorge week verhuisd. Maar haar nieuwe vriend staat dat bovenhuis niet aan en nu is hij de zaterdagmiddag aan het gebruiken om de meubels van mevrouw Sanders terug te brengen naar het huis dat ze vorige week verlaten heeft. Maar de nieuwe bewoners komen maandag al, ik kon dat huis direct weer verhuren. Ik werd door de buren gebeld die me vertelden wat er gaande was. Ik ben er natuurlijk meteen heen gegaan. Ik heb hem echt heel keurig gezegd dat wat hij wilde onmogelijk kon. Toen is hij meteen schreeuwend van leer getrokkken. Hij stond met gebalde vuisten voor me en ik ben gauw weer bij de buren naar binnen gegaan en heb jou gebeld. Enfin, je was er niet maar nu gelukkig wel. Ik zie door het raam dat de politie is gekomen...'

'Ik ben al onderweg,' onderbrak hij haar. Hij vervolgde tot Marieke: 'Ik ben bang dat het wel even zal duren. Jij kunt in die tijd mooi een dutje doen, je ziet er een beetje moe uit. Het was ook een enerverend bezoek vanmorgen'

Thea stond hem voor de deur van de buren al op te wachten, de bewuste vriend was onder toezicht van de politie bezig de meubels weer terug in zijn vrachtwagen te zetten.

'Wat erg allemaal,' zei Thea, 'ik heb er toch wel goed aan gedaan met de politie te bellen?'

Maarten knikte haar geruststellend toe. 'Ik ben bang dat het de enige mogelijkheid was,' zei hij, 'ik ga even met hen praten, ik ben zo weer bij je terug.'

Na het gesprek met de polite waren de meubels weer in de vrachtauto gezet, de chauffeur maakte aanstalten in te stappen en de politie zei: 'Nu kunnen wij er ook vandoor gaan. Prettig weekeinde, meneer Van Tricht.'

De politie reed weg, achter de vrachtwagen aan. Maarten sprak nog enige bemoedigende woorden tot Thea en zei dat ze het allemaal goed had gedaan, toen hij zag dat vrachtwagen in plaats van rechtdoor te rijden een afslag genomen had, terwijl de politieauto voor de rode stoplichten moest wachten. De vrachtwagen stopte bij hen, de chauffeur sprong eruit en liep op hen toe. 'Jou krijg ik nog wel, maatje,' siste hij Maarten toe. 'Om mijn vriendin in een onbewoonbaar verklaard huis te zetten. Je zult het nog wel gewaar worden.'

Hij draaide zich na deze woorden meteen weer om en reed weg.

'Ik vind het een griezelige man,' huiverde Thea, 'als dat maar goed gaat.'

'Zoiets is altijd onaangenaam maar het komt gelukkig zelden voor. Hij heeft geen been om op te staan, die mevrouw Sanders was blij met haar onderkomen voor een veel lagere huur. Met die huizen is niets mis. Ze zijn destijds door de gemeente gekocht, omdat ze in het nieuwe bestemmingsplan zitten. Ze zullen ooit worden afgebroken omdat daar een ander soort huizen komt, de bewoners krijgen te zijner tijd andere woonruimte toegewezen. Maat het kan nog jaren duren voor het zover is. Ga jij gauw naar huis, meisje en ga wat rusten Ik heb Marieke net hetzelfde advies gegeven,' eindigde hij glimlachend zijn zin.

'Het gaat met Marieke ook goed, hè?' zei Thea. 'Ik zou het zo leuk vinden als onze baby's op dezelfde dag geboren zouden worden.'

'We moeten het nog even afwachten,' zei hij en toen stapten ze allebei in hun auto en reden weg.

Omdat Fleur vond dat ze toch wel erg radicaal tegen Eline was opgetreden, zei ze na het eten: 'Ik breng je nog even thuis. Het zal wel een afknapper voor je zijn als je daar straks in je eentje zit na deze emotionele dag. Daarbij komt dat ik je ook nog behoorlijk heb afgeblaft.'

Tot haar grote verbazing antwoordde Eline: 'Ik denk dat het het beste was wat je voor me gedaan hebt. Je hebt gelijk, ik begrijp niet dat je al niet veel eerder spuugzat van me geworden bent. Ik zie nu eigenlijk pas wat je allemaal voor me gedaan hebt. En ik doe niets anders dan tegen je klagen en je het leven zuur maken met mijn sores. Ik ga dat helemaal veranderen. Je hebt ook schoon gelijk met wat je zei over die baby. Dat kind kan er al helemaal niets aan doen en het is hoe dan ook gewoon mijn broertje of zusje. Ik denk dat ik op kraamvisite ga als het geboren is. De rest zie ik dan wel weer.'

'Je zou ook eerder naar je vader kunnen gaan,' opperde Fleur voorzichtig.

'Waarom? Ik ga toch voor de baby?'

'Wil je dan tegen je vader blijven bokken? Dan schiet je met je nieuwe familie nog niet veel op. Het lijkt me niks als je straks tegen die baby allerlei lieve woordjes zegt en je vader met de rug aankijkt. Je doet jezelf tekort. Als ik mijn vader zou verliezen zou bij wijze van spreken mijn wereld instorten, en jij hebt een vader en je gooit hem gewoon weg, terwijl hij er alles voor wil doen om een goed contact met je te hebben. Alleen omdat hij toen hij zeventien was een fout heeft gemaakt. Dat vind ik stom, ik ben je vriendin en daarom moet ik je dat zeggen. Als je van de brug zou willen springen, zou ik je ook tegenhouden als je begrijpt wat ik bedoel. En nu we toch weer over dit eikele onderwerp praten, wil ik je ook nog zeggen dat ik vind dat Doro ook niet helemaal vrijuit gaat, omdat ze je vader nooit heeft laten weten dat ze jou op de wereld heeft gezet, terwijl haar afspraak met hem anders was. Het hebben van een kind is geen kleinigheid, dat had hij behoren te weten.'

'Laat Doro er nu maar buiten,' verzocht Eline geraakt, 'ze heeft in haar hele leven alleen maar verdriet gehad.'

Fleur dacht: ik ben nu toch al te ver gegaan, ze is al razend op me, ik kan net zo goed zeggen wat ik nog meer op mijn hart heb.

'Als ze destijds contact met je vader had gezocht was ze misschien minder ongelukkig geworden. Daarom moet jij verstandiger zijn. We trekken al zo lang met elkaar op en ik heb veel aan je te danken, maar je doet stom en dat moet ik je gewoon zeggen en zoek het nu alsjeblieft verder zelf maar uit.'

'Ik weet dat je het goed bedoelt,' mompelde Eline. 'Ik zie nog wel.'

13

Mijn laatste werkdag voor de baby er is, dacht Marieke terwijl ze in haar auto stapte om naar het ziekenhuis te rijden. Ze had graag nog een poosje willen doorwerken, ondanks haar acht maanden zwangerschap was ze niet erg zwaar, ze bewoog zich nog steeds gemakkelijk en kon goed haar werk doen. Maar Maarten wilde graag dat ze stopte, hij vond het een rustiger idee, zei hij en daarom was ze maar gezwicht. Het was niet druk op de dijk wat ze altijd prettig vond, want op sommige plaatsen was de weg wat smal, zodat je met het passeren van zware vrachtwagens en autobussen altijd een beetje moest uitkijken.

Ze zag in de spiegel dat haar een vrachtauto achterop reed, hij maakte met luide claxoneren duidelijk dat hij haar wilde passeren terwijl er plaats genoeg was want ze reden niet op een smal stuk. Ze reed nog iets naar de berm toen ze de vrachtauto heel dichtbij zag komen. Terwijl hij al naast haar reed, gaf hij het stuur een wending naar rechts. Ze voelde hoe haar kleine auto met een klap van de weg werd gedrukt, de berm afgleed, verder reed en plotseling met een klap over de kop sloeg. Voor ze door een dreun tegen haar hoofd buiten bewustzijn raakte, dacht ze aan de baby die ze nu ging verliezen.

De dijk viel onder het nabij gelegen dorp, de politie patrouilleerde er geregeld. De beide agenten reden op een tamelijk grote afstand van de vrachtauto maar ze hadden toch nog kunnen waarnemen wat er gebeurd was.

'Die vent rijdt nog door ook,' zei Dennis Poorter, terwijl hij meer gas gaf. 'Ik moet er niet aan denken dat het waar is wat ik vermoed. Zag jij ook dat het een rode auto was?' vroeg hij zijn collega Jan Manders

'Ja, hij kwam uit de oprit van het Dijkhuis, denk jij dat Marieke erin zit? Ze is in verwachting heb ik gehoord.'

'En of ze in verwachting is,' zei Dennis bezorgd, 'ze is al

heel ver, ze is een maand eerder uitgerekend dan mijn Lieke. Dat ziet er beroerd voor haar uit, ik bel maar vast de ambulance. Ik zal ook vertellen hoe ze ervoor staat, dat ze op een geboorte moeten rekenen.'

Dennis en Jan waren met Marieke op de dorpsschool geweest, Dennis had zelfs bij haar in de klas gezeten. Zijn vrouw Lieke was met Marieke nu op dezelfde zwangerschapsgymnastiek.

In minder dan geen tijd waren ze bij de auto die onder aan de dijk met de wielen naar boven lag. Terwijl ze uitstapten, belde Jan voor alle zekerheid een takelwagen.

'Als de deuren klemmen krijgen we haar er nooit uit,' zei hij, 'met die hamer die je daar bij je hebt kun je alleen een ruit inslaan en met haar dikke buik krijgen we haar daar nooit door.'

'We kunnen proberen de wagen overeind te krijgen,' zei Dennis nog en toen waren ze bij de auto. Ze zagen Marieke bewegingloos in de riemen hangen, op het eerste zicht zagen ze alleen bloed. De deuren waren vergrendeld, ze moesten eerst een ruit inslaan voor ze konden proberen of er een portier openging. Toen ze de ruit eruit hadden, hoorden ze het verlossende geluid van de ziekenauto.

'Hadden we niet beter de brandweer kunnen bellen. Zij hebben gereedschap waarmee ze de auto in een mum van tijd openzagen,' zei Dennis in paniek, toen even later de takelwagen verscheen. 'Ze moet eruit, man, ze moet eruit, ze bloedt dood als het nog langer duurt en in die deuren is geen beweging te krijgen.'

'Ze leeft nog,' zei Jan die haar pols voelde. Toen kwamen de arts en de verpleger uit de ambulance al bij hen, gevolgd door de chauffeur van de takelwagen die direct het portier trachtte open te maken wat niet lukte.

'Zullen we de auto maar met vereende krachten op zijn zij leggen,' stelde hij voor, 'dan heb ik de deur zo open en kunnen we haar er gemakkelijk uithalen. Voorzichtig aan, ze

197

moet er zo min mogelijk van merken.'

Het kantelen van de auto was zo gebeurd en de deur ging direct open wat tijd bespaarde. De arts en de verpleger konden Marieke nu gemakkelijk uit haar benarde positie bevrijden en legden haar op de door de verpleekundige meegebrachte brancard. De hulp van Dennis en Jan was nu niet meer nodig, ze gingen naar boven, op de eerst zo stille dijk had zich al een rij auto's en verschillende fietsers verzameld, iedereen was gestopt bij het zien van de ambulance en de takelwagen. Jan en Dennis regelden het verkeer.

Toen de bancard met de patiënte erop in de ziekenauto werd geschoven was er voor de ambulance ruim baan. Even later reed hij met loeiende sirene richting ziekenhuis.

Maarten had die ochtend vrij genomen. Hij wilde Marieke die avond verrassen met een door hem klaargemaakte maaltijd. Hij had in de stad de inkopen daarvoor gedaan en hij was nu op weg naar de kwekerij om bloemen te kopen. Hij wilde in de kamer de eetkamer en de keuken een bos bloemen neerzetten om zo Mariekes laatste werkdag voor de baby kwam te vieren. Hij verliet de kwekerij met drie bossen rozen, Mariekes lievelingsbloemen. Hij reed de smalle landweg die naar de dijk voerde af en moest daar wachten om aan de ambulance met blauwe zwaailichten en loeiende sirene voorrang te geven. Een ernstig zieke waarschijnlijk, dacht hij terloops terwijl hij het Dijkhuis naderde. Met zijn huis in het zicht zag hij de takelwagen die net bezig was te keren, hij lette niet op de rode auto die erop stond. Zijn aandacht werd getrokken door de beide politieauto's voor zijn huis.

Toen hij de oprit naar het Dijkhuis inreed kwam hem een politieman tegemoet, het was Meeuwis de postcommandant van het dorp.

Maarten stopte de auto en deed het portierraampje naar beneden. Hij kende Kees Meeuwis goed. 'Ik neem aan dat je mij zoekt,' zei Maarten, terwijl hij het zei gingen ergens in zijn hoofd alarmbellen rinkelen, de takelwagen met de rode volkswagen erop, de twee politieauto's. Hij wilde niet verder denken, hij wilde de ambulance met de blauwe zwaailichten en loeiende sirene er niet mee in verband brengen, hij wilde het niet.

'Zeg het maar,' zei hij toen, hij deed het portier open, stapte uit zijn auto, 'zeg het maar,' zei hij weer, 'is ze dood?'

'Nee, ze is niet dood en de dokter zei dat de baby ook nog leeft. Je moet niet direct het ergste denken, Maarten. Het kan allemaal nog meevallen, zei de arts van de ambulance.'

Bij mij valt nooit iets mee, dacht Maarten, bij mij komt altijd alleen maar het ergste. Het ging zo lang goed, Marieke was als een schild dat het ongeluk van me afhield, mijn schildwacht, mijn rots waaraan ik me al die tijd heb vastgegrepen en nu is ze er niet meer. Wat zal er nu van me worden?

'Ik breng je naar haar toe,' zei Kees, 'geef me je sleutels. Mijn mensen zetten je wagen in je garage, jij kunt zo niet rijden, dat is niet verantwoord, ik breng je.'

Op weg naar het ziekenhuis zei Kees Meeuwis: 'Mijn mensen hebben toevallig gezien hoe het gebeurd is, ze is opzettelijk van de weg gereden, het was een grijze vrachtwagen, we hebben een paar aanknopingspunten, we zullen hem wel te pakken krijgen.'

Maarten hoorde wat hij zei, maar de woorden drongen niet tot hem door. Het laatste gedeelte van zijn leven trok aan hem voorbij. Lizzy, de blijdschap om de baby die zou komen. Lizzy die alleen terugkwam met de ongeboren baby bij zich, hij had ze samen begraven. Toen kwam Marieke, zijn nieuwe leven in een tijd toen alles hem onverschillig was en hij als een robot verder leefde. Op de zaak automatisch zijn werk deed en geen sprankje hoop meer op de toekomst had. Marieke had hem weer tot leven gewekt. Hij kneep zijn ogen stijf dicht en balde zijn vuisten, ze was nog niet dood, had hij net gehoord, het was of hij weer tot de werklijkheid terugkwam, ze was nog niet dood. Hij begon in zijn gedachten te bidden, o God laat haar leven alstublieft, U weet toch hoe ik ervoor sta zonder haar. Neem de helft van de rest van mijn leven als ik de andere helft nog met haar samen mag zijn. Terwijl hij zo bad, wist hij dat zijn gebed niet verhoord zou worden, God had nog nooit een deal met hem gemaakt. Toen zijn vader overleed en hij daar zielsverdrietig over was had zijn moeder gezegd: 'God neemt de mensen die hij nodig heeft tot zich, je moet daar niet zo verdrietig om zijn.' Zijn moeder geloofde dat, maar ze hield nog wat over, haar kinderen. Maar hij had zonder Marieke niets meer. God nam hem altijd alles af. Hij dacht aan Eline. Ik zoek geen wraak meer had ze gezegd, dat doet het leven zelf wel. Was dit die wraak? Hij kreeg het een beetje benauwd, het zweet brak hem aan alle kanten uit. Toen waren ze bij het ziekenhuis. Hij stapte uit, voelde hoe zijn voeten onder hem wankelden, hij balde zijn vuisten en beet zijn kiezen op elkaar. Beheers je, zei hij tegen zichzelf, je zult het nog nodig hebben.

Toen hij in de wachtkamer van de afdeling waar Marieke naartoe was gebracht, aankwam was hij weer zover dat hij tegen zijn begeleider kon zeggen: 'Ik red het wel weer alleen, veel dank dat je me hier gebracht hebt.'

'Mooi, dan ga ik nu achter de dader aan, je hoort binnenkort van me. Veel sterkte, ik bel je zodra ik iets weet.'

Hij was niet lang alleen, de hoofdzuster kwam met een kop koffie binnen.

'Die heb ik maar vast voor u meegebracht om wat bij te komen, u zult wel erg geschrokken zijn, meneer Van Tricht,' begon ze. 'Het valt allemaal gelukkig mee naar het zich laat aanzien, uw vrouw wordt nog verder onderzocht. Met de baby is gelukkig alles in orde voor zover dat te bekijken is. Mevrouw werd bewusteloos binnengebracht, maar ze is nu weer bij de tijd. Ze had een bloedneus die moeilijk te stelpen was en haar arm was uit de kom. Door de pijn in haar schouder was ze waarschijnlijk buiten bewustzijn geraakt, maar de arm is weer gezet en ze heeft geen pijn meer. Als ze straks op haar kamer is kunt u naar haar toe. U wordt gehaald als het zover is.'

Tussen de tijd van het vertrek van de hoofdverpleegster en de komst van de verpleegkundige die hem kwam halen lag voor zijn gevoel een eeuwigheid maar hij had zichzelf weer in bedwang. Hij durfde nog niet te geloven wat hem net verteld was.

Marieke kwam pas bij toen ze al in het ziekenhuis was, ze herinnerde zich meteen wat er gebeurd was. De baby, dacht ze meteen, ze keek om zich heen, zag alle bekende gezichten om zich heen, Janke, de hoofdzuster, Kees Smulders, de gynaecoloog. 'Leeft de baby nog?' was het eerste wat ze vroeg.

Smulders knikte geruststellend.

'Alles in orde voor zover we kunnnen zien.'

Ze trachtte zich op te richten, maar ze viel met een kreun van pijn weer terug.

'Dat is je arm die uit de kom is geweest, je zult nog wel een poosje last van die schouder houden, maar het is niets ernstigs. Je bent er goed van afgekomen, jongedame, maar we houden je voorlopig wel hier. Misschien maakt de baby eerder aanstalten om te komen en dan heb ik je liever bij me in de buurt.'

Ze sloot haar ogen en ze zei: 'Als het met de baby maar goed is, dan ga ik overal akkoord mee.'

'Afgesproken,' zei hij, 'ik zie je morgen weer.' Hij nam afscheid met een bemoedigende handdruk.

'Je man zit in de wachtkamer,' zei Janke toen de gynaecoloog vertrokken was, 'zal ik hem maar laten komen?'

Toen Maarten binnenkwam zag Mariekes geoefend oog onmiddellijk dat hij erg van streek was. Die stalen glimlach die geen glimlach was en die naar binnen gekeerde blik terwijl hij haar toch aankeek, zeiden haar genoeg. Het was als in de eerste dagen dat ze elkaar nader waren gekomen, voor het oog alles in orde maar vanbinnen wanhopig.

'Maarten,' zei ze, 'wat fijn dat je er al bent, je weet zeker al dat alles met ons in orde is, met de baby en met mij. Is het niet ongelooflijk?' Hij knikte. 'Het is inderdaad ongelooflijk,' zei hij. Hij boog zich naar haar over, streelde haar gezicht. 'Het is een wonder,' zei hij met tranen in zijn stem, 'ik weet nu ook hoe moeilijk het zou zijn geweest om zonder jou verder te moeten. Ik geloof niet dat ik het had aangekund. Je bent mijn leven, Marieke. Weet je nog dat ik je vroeg om een verstandshuwelijk met me te sluiten? Ik wilde nooit meer van iemand gaan houden, omdat ik bang was je weer kwijt raken. Toen dat toch bijna gebeurde wist ik pas wat je voor me betekent.'

Ze streelde met haar hand die ze zonder pijn kon bewegen zijn voorhoofd dat vochtig was. 'Je hoeft me niet te verliezen,' fluisterde ze, 'je moet alles gauw vergeten en samen verdergaan. Straks, als de baby er is zijn we met zijn drieën, denk je dat eens in. Het geschenk zal nog groter zijn, omdat we het bijna kwijt zijn geraakt'

Ze hadden niet gemerkt dat de kamerdeur open was gegaan en er iemand binnenkwam, of liever gezegd binnenstormde, het was Maartens zuster Riet die op een andere afdeling hoofdverpleegster was.

'Ik hoorde van de politie die informeerde hoe het met Marieke ging, dat ze met opzet van de weg is gereden door een huurder die je de huur hebt opgezegd omdat hij die niet meer betalen kon,' vertelde ze opgewonden. 'De dader is gepakt. Het was een wraakaktie, zei hij. Hoe vind je zoiets? En wat een geluk dat je er zo goed van af bent gekomen en dat het allemaal goed is met de baby. Ik heb Smulders zelf gesproken, dus ik weet het uit de eerste hand. Ik… ja, ik ben erg geschrokken. Ik gedraag me niet erg professioneel moet ik zeggen. Maar ik had het ook zo verschikkelijk gevonden als je nu weer alles verloren zou hebben, Maarten. Sorry, hoor,' eindigde ze, terwijl ze met haar hand haar opkomende tranen wegveegde.

'Je hoeft bij ons gelukkig niet professioneel te zijn,' stelde Marieke haar gerust, 'wat lief van je dat je direct naar ons toe bent gekomen. En hoe zit het eigenlijk met die opgezegde huur?' vroeg ze toen aan Maarten.

'Die berichtgeving is niet helemaal correct,' zei hij. 'Ik denk dat de dader de zaak wat verkeerd heeft voorgesteld. Hij is de vriend van een huurster die zelf aan ons om een goedkopere woning heeft gevraagd, omdat ze zonder werk zit. Die vriend vond de woning te min en was een poosje geleden bezig om haar meubels weer terug te brengen in haar vorige huis. Dat huis was alweer verhuurd aan een ander, dus kon dat natuurlijk niet. Thea heeft toen de politie gebeld en die heeft hem van zijn voornemen afgebracht. Thea heeft mij gebeld en ik heb ook nog even met de politie gesproken, terwijl de dader de meubels weer in zijn vrachtwagen terugzette. Met diezelfde vrachtwagen heeft hij Marieke van de weg gereden. Toevallig werd het voorval door twee agenten gezien. Zodoende kon hij gemakkelijk opgespoord worden. De postcommandant zei dat ze al aanwijzingen hadden. Hij zou me nog bellen, dan kan ik hem de werkelijke toedracht meteen vertellen.'

'Je zou zeggen dat het tegenwoordig ook al gevaarlijk is om met een makelaar getrouwd te zijn,' zei Riet. 'Nee, dat is natuurlijk onzin. De zenuwen moet je maar denken. Ik ga er gauw vandoor, ik heb nog een uur vrij, ik ga even naar moeder om het haar te vertellen. Ze schrikt zich een ongeluk als ze het van een ander hoort en niet weet dat het nog zo goed is afgelopen. Dag allebei, ik kom gauw weer bij je terug Marieke want Smulders wil je nog een poosje houden, dat weet je zeker wel?'

'Ik weet het,' zei Marieke,' vergeet niet om je ook een beetje om je broertje te bekommeren.'

'Ik vraag hem gauw te eten,' beloofde Riet.

Toen Riet vertrokken was, zei Marieke: 'Ik vind het niet erg om hier te moeten blijven, maar ik vind het niet leuk jou zo lang alleen te moeten laten. Ik zie je ervoor aan dat je gaat piekeren over de bevalling en of de artsen toch misschien iets over het hoofd hebben gezien dat kwaad kan. Het komt heus allemaal goed. En met Eline komt het ook goed, maar het moet tijd hebben, ik weet dat ze steeds door je hoofd spookt. Probeer het een beetje van je af te zetten.'

'Ik heb het moeder verteld,' zei hij.

'Wat goed van je en wat zei ze?'

'Eerst geschrokken toen verbaasd en daarna, tja ik geloof dat ze er blij mee is. Ze had meteen het scenario klaar. Ik moest Eline mee naar haar nemen en dan had zij ondertussen de hele familie ingelicht en dan zou ze ze allemaal vragen om bij Elines presentatie aanwezig te zijn.'

'Maar dat is toch prachtig!'

'Of dat prachtig is, maar er zit een nadeel aan. Ik krijg Eline nog niet eens in mijn eigen huis, laat staan dat ik haar mee naar mijn moeder kan nemen. Toen ik haar dat verteld had, stelde ze voor om het dan voorlopig maar niet aan de rest van de familie te vertellen en te wachten tot ik met Eline op betere voet sta. Nu, dat kan even duren zoals je weet.'

'We gaan eraan werken als haar broertje of zusje er is,' beloofde Marieke, 'misschien komt ze wel naar de baby kijken.'

'Misschien wel,' zei hij.

Maar hij dacht, dat doet ze vast niet, ze zal wel jaloers op de baby zijn maar dat wilde hij Marieke niet zeggen. Hij moest niet zo pessimistisch zijn, hield hij zichzelf voor. Hij zou haar moeten opbeuren en niet omgekeerd.

Maar toen zwaaide de deur open en kwam er een verpleegkundige binnen. 'Maar meneer Van Tricht,' zei ze verschrikt. 'U bent hier nog en u mocht maar even bij uw vrouw, had ik gezegd.'

'Zijn bezoek heeft me een wereld van goeds gedaan,' zei Marieke, 'we moesten even bijpraten en dat is een beetje uitgelopen.'

Maarten was al opgestaan. 'Ik schaam me,' zei hij tegen de zuster, 'maar ik beloof beterschap.' Hij keek Marieke aan. 'Je neus gaat zwellen,' zei hij bezorgd, 'doet het pijn?' 'Alles doet een beetje pijn,' zei ze, 'ja, mijn neus ook. Maar het komt allemaal goed. Echt waar.'

Hij drukte heel voorzichtig een kusje op haar wang. 'Ik kom gauw terug,' zei hij.

Frans, Fleur en Eline verdeelden aan het ontbijt altijd de krant, dat was die volgende ochtend ook het geval. Fleur had het stuk waar het bericht in stond.

Wraak op makelaar, stond erboven. De vrouw van de bekende makelaar Van Tricht werd in haar auto van de weg gereden door een huurder die de huur was opgezegd. De vrouw die acht maanden zwanger was, werd in bewusteloze toestand naar het ziekenhuis vervoerd. De dader is gepakt.

'Eline,' riep ze verschrikt, 'er is geloof ik iets verschrikkelijks gebeurd met de vrouw van je vader. Lees het zelf maar,' zei ze, terwijl ze haar de bewuste pagina gaf. 'Volgens mij kan het niet missen, ze moet het zijn.'

Elines ogen waren over het bericht gevlogen. Wraak op makelaar, wraak op makelaar, ze herhaalde de zin die ze gelezen had steeds in haar gedachten. Wat had ze tegen hem gezegd? Ik zoek geen wraak meer, dat doet het leven zelf wel. Had ze dat echt gezegd? In ieder geval zoiets dergelijks. Nu had de een of andere crimineel dit van haar overgenomen. Maar nu was die aardige Marieke met haar dikke buik waar ze zo blij mee was, dat kon je zomaar aan haar zien, nu was ze haar kind kwijt en misschien was ze zelfs wel dood. Nu was die vader van haar die ze geen schijntje geluk had gegund voor de tweede keer zijn vrouw en een ongeboren kind kwijt. Zo had ze het niet bedoeld, ze had dat kindje alleen maar benijd omdat hij alles zou krijgen wat zij nooit had gehad, een eigen vader en moeder bij wie hij kon opgroeien, terwijl zij weggegeven was. Eigenlijk ben ik niets beter dan die crimineel die het gedaan heeft, schoot het met een schok door haar heen.

Fleur en Frans sloegen haar verschrikt gade, terwijl Eline met grote angstige ogen van de een naar de ander keek.

'Zo heb ik het niet bedoeld, zo heb ik het echt niet bedoeld,' jammerde ze plotseling en toen legde ze haar hoofd op haar armen en huilde, huilde terwijl haar bordje en kopje op de vloer terechtkwamen en in scherven waren gevallen.

Fleur wierp een wanhopige blik naar haar broer. 'Wat moeten we doen?' vroeg ze in paniek.

'Laat haar maar even begaan,' zei Frans, 'ze zal dit moeten verwerken.'

Toen Eline bedaard was, zei hij: 'Ik neem aan dat je naar hem toe zou willen.'

'Natuurlijk moet ik naar hem toe,' antwoordde ze onmiddellijk. 'Ik ga zo maar direct weg. Ik zie wel waar ik hem vinden kan. Hij is niet zo gemakkelijk te bereiken.'

'Luister eens, ik heb een ander voorstel, ik moet morgen een lezing houden in Zwolle. Met een kleine omweg kan ik je bij het ziekenhuis waar zij ligt afzetten. Van daaruit kun je je vader gemakkelijk opsporen. Als ik jou was zou ik vandaag gewoon naar college gaan, dat leidt wat af. Ik ga zo een paar telefoontjes plegen om erachter te komen in welk ziekenhuis ze ligt. Misschien kan ik inlichtingen over haar toestand krijgen, maar meestal zijn ziekenhuizen niet scheutig om aan mensen die geen familie zijn inlichtingen te geven. Ik zal maar niet zeggen dat ik namens de dochter van je vader spreek, omdat de kans groot is dat nog niemand van je bestaan afweet. Ik wil hem niet in verlegenheid brengen door dit te gaan uitbazuinen.'

Tot Fleurs grote verwondering ging Eline mak als een lam op Frans voorstel in. Gelukkig maar, dacht ze.

Toen Frans verbinding had met het ziekenhuis waar Marieke was binnengebracht, kreeg hij inderdaad niet veel over de patiënte te horen en over een eventuele baby konden ze hem ook niets vertellen, maar hij had haar opgespoord en dat was voorlopig voldoende.

Toen hij de volgende ochtend voor het ziekenhuis stopte, zei hij tegen Eline: 'Als je wilt dat ik met je meega kan ik dat nog net doen wat de tijd betreft, maar misschien wil je er toch liever alleen opaf.'

Ze zuchtte en keek hem aan, smekend bijna. 'Hoe graag ik ook zou willen dat je meeging,' zei ze, 'heb ik toch het gevoel dat ik beter alleen kan gaan. Ik dank je voor je hulp, jullie doen allemaal zo veel voor me.'

'Dat is omgekeerd ook het geval,' zei Frans, hij tikte haar even bemoedigend tegen haar wang. 'Bel me als je weet wanneer ik je weer kan komen halen. Als die lezing achter de rug is, heb ik geen afspraken meer. Het maakt dus niet uit of het laat wordt.'

Ze knikte. 'Je hoort van me,' zei ze en toen draaide ze zich om en ging de deur van het ziekenhuis binnen. Nadat ze bij de receptie de afdeling en het kamernummer had gevraagd ging ze langzamer lopen. Ik zou willen dat dit voorbij was, dacht ze, dat ik weer bij Frans op de terugreis naar huis in de auto zat. De baby was waarschijnlijk dood, wat moest ze straks zeggen? Ze stond nu voor de bewuste kamerdeur, ze moest naar binnen. Misschien was haar vader er ook wel. Hoe zou hij reageren? Misschien wilde hij niets meer van haar weten, nu al het verdriet dat ze hem had toegewenst hem ook werkelijk ten deel was gevallen. Toen deed ze met een ruk de kamerdeur open en besefte op dat moment dat ze niets bij zich had. Had ze geen bloemen mee moeten nemen? Daar was het nu in ieder geval te laat voor.

'Ik kan het niet geloven,' kwam toen een stem uit het enige bed dat er in de kamer stond, 'daar is Eline!'

Eline liep naar het bed. Ze kon nog net uitbrengen: 'Hoe gaat het met u en de baby, is de baby dood?' en toen barstte ze in tranen uit.

Marieke hief haar hand naar haar op. 'Ik kan nog niet goed overeind komen,' zei ze, 'maar een hand geven kan ik wel. Kom toch eens dichter bij me en ga zitten. Met mij gaat het redelijk goed en de baby zit nog veilig in mijn buik, het is allemaal meegevallen. Hoe wist je ervan? Heeft je vader je gebeld?'

Eline schudde ontkennend het hoofd, tussen de snikken door zei ze dat ze het in de krant hadden gelezen. 'En mijn vader zal me wel niet meer willen zien, al het onheil wat ik hem heb toegewenst is immers over hem gekomen en over u ook. Maar zo heb ik het niet bedoeld, maar dat zal geen mens geloven.'

'Hij zal het maar al te graag geloven,' verzekerde Marieke haar. 'Eline, zal ik je eens wat zeggen? Hij zal God op zijn knieën danken dat je gekomen bent. Hij dacht altijd dat je nooit geboren was, dat hij daar debet aan was heeft hem zijn hele leven achterna gelopen. Toen zijn vrouw overleed voor hun kind geboren was, voelde hij dat als een straf voor het gebeurde van vroeger. Hij heeft een zware depressie gehad, met veel moeite hebben we hem weer naar het normale leven terug kunnen slepen. Maar toen jij kwam was dat het grootste geschenk dat hij ooit heeft gekregen. Dat de kennismaking wat moeizaam verliep was natuurlijk een teleurstelling en dit ongeluk heeft hem weer en flinke dreun gegeven. Maar nu jij er bent Eline, nu kan alles pas goed worden. Hij maakt zich zorgen over mij en over de baby. Kun je hem alsjeblieft een beetje moed inspreken? Je komt als geroepen. Als hij van iemand een opbeurend woord aanneemt zal dat van jou zijn. Hij komt zo hier,' vervolgde ze op haar horloge kijkend. 'Hij had er eigenlijk al moeten zijn. Als hij komt, kun je meteen beginnen.'

Toen ging de kamerdeur open maar het was niet de persoon die ze verwacht hadden, maar de dienstdoende verpleegkundige.

'Mevrouw Van Tricht, uw man komt zo,' zei ze, 'hij is nu nog even bij de hoofdzuster. Als hij komt moet uw andere bezoek weg. U mag maar een bezoeker tegelijk hebben, want u moet u rustig houden.'

Marieke knikte haar vriendelijk toe. 'Ik zal braaf zijn,' zei ze.

De verpleegkundige verdween en toen kwam Maarten binnen.

Hij zag Eline en liep meteen op haar toe. 'Nee,' zei hij, 'ik geloof mijn ogen niet.'

Ze keek hem aan, ze moest op dat ogenblik aan Fleur denken. Hij is zo'n lieverd, had ze gezegd. Dat vond ze op dat moment zelf ook, ze zou zich graag tegen hem aan hebben gedrukt maar ze durfde niet, hij keek niet bepaald vriendelijk.

'Ik had dat niet allemaal moeten zeggen,' begon ze aarzelend.

'Daar heb je gelijk in,' zei hij, 'daar praten we te zijner tijd nog over.'

Toen wendde hij zich naar Marieke en begroette haar. 'Hoe gaat het?' vroeg hij.

'Veel beter. Met het uur beter, maar toen Eline verscheen ging het me ineens met sprongen beter. Eline en ik hebben namelijk een plan, ze wil wel bij je blijven om je wat op te vrolijken. Het is vrijdag vandaag, ik denk dat ze wel tot zondagavond wil blijven, want ze heeft morgen geen college en dan kun jij haar mooi weer naar Utrecht brengen. Lijkt je dat geen goed idée?'

Waar haal ik het vandaan, dacht ze, en wat loop ik een risico met mijn gefantaseerde verhalen. Als ze geen van beiden willen is er weer een kans op verzoening verkeken, zij wil nu wel, maar hij niet naar het schijnt. Ze keek om hulp smekend van de een naar de ander.

209

Maarten wendde zich met lichtelijk gefronsde wenkbrauwen naar Eline.

'Is dat zo?' vroeg hij.

'Ja, ja natuurlijk, 'hakkelde ze, 'ik zal het natuurlijk graag doen.'

'We krijgen dan onze eerste logé in het hemelbed, Maarten, je eigen dochter,' probeerde Marieke het aantrekkelijk te maken.

'Ja, dan doen we dat maar,' zei hij toen.

De conversatie wilde daarna niet erg vlotten, maar daar maakte Marieke zich minder zorgen over. Ze waren op haar plan ingegaan, er was een begin. Toen Maarten bij het zien van Eline niet meteen enthousiast had gereageerd, was ze geschrokken. Ze kon nu niet veel anders meer doen dan afwachten.

'Zal ik dan maar in de hal op u wachten?' informeerde Eline na een stilte voorzichtig. 'Uw vrouw mag maar een persoon tegelijk op bezoek hebben, zei de zuster.'

'Goed,' zei hij, 'dan zie ik je straks in de hal.'

Toen Eline de deur achter zich had gesloten, stak Marieke haar hand naar Maarten uit. 'Ze heeft er echt spijt van, dat kun je zien,' zei ze.

'Gelukkig wel,' antwoordde hij, 'maar toen ik haar hier plotseling zag, kwam het toch in me op dat zij me alle soorten van ellende heeft toegewenst en dat we daar nu middenin zitten.'

'Ze heeft een moeilijke tijd gehad met haar zieke moeder,' bracht Marieke tot haar verdediging naar voren, 'en ze kon er met niemand over praten, omdat haar moeder niet wilde dat bekend werd dat Eline haar dochter was. Ze zag jou als de oorzaak van alles en dat vormde een vruchtbare bodem voor wraak. Nu ze er afstand van heeft kunnen nemen heeft ze er spijt van.'

'Als we hier eerst maar doorheen zijn,' zei hij.

Marieke had sinds het ogenblik dat de arts haar verteld

had dat alles met de baby goed was geen seconde gedacht dat het toch nog fout kon gaan. Dat deed ze nu plotseling wel. Er beving haar een paniek, ze deed wat ze altijd had gedaan als ze het niet meer zag zitten, ze bad tot God: Laat dat kind alstublieft gezond op de wereld komen, als het fout gaat, is Maarten ook voor me verloren en tussen hem en Eline komt het nooit meer goed. Alstublieft, God, alstublieft,' ze trok haar hand uit zijn hand om de tranen van haar ogen te vegen.

Hij boog zich over haar heen en kuste haar tranen weg. 'Ik beloof je dat ik mijn verstand zal gebruiken,' zei hij.

Maarten had alle afspraken voor die middag afgezegd en reed nu met Eline naar het Dijkhuis.

'Vindt u goed dat ik Frans bel om te zeggen dat hij me niet hoeft af te halen maar dat ik zondagavond weer thuiskom?' vroeg Eline terwijl ze haar mobieltje tevoorschijn haalde.

'Vraag hem maar of hij toch langskomt dan kan ik kennis met hem maken. Hij is de broer van je vriendin Fleur?'

Ze knikte gretig. 'Ja, dat is hij. Hij zal dat vast graag doen. Hij en Fleur voelen zich altijd erg betrokken bij alles wat me aan gaat.'

Ze sprak met Frans af dat hij rond vijf uur in het dijkhuis zou zijn. Gelukkig dat hij komt, dacht ze, dat leidt wat af. Ze keek eens van opzij naar haar vader, zijn gezicht stond nog altijd op storm.

Toen ze het huis binnengingen zei hij: 'Welkom in mijn huis, ik had je hier graag onder andere omstandigheden ontvangen, maar het is niet anders.'

'Dank u wel,' zei ze beleefd en even later toen hij haar jas op de kapstok had gehangen, vervolgde ze: 'Het is lunchtijd, zal ik iets klaarmaken? U hoeft me alleen de weg naar de keuken te wijzen dan vind ik het wel.'

'Als onze hulp tenminste voor voorraad heeft gezorgd,' zei hij.

'Er is vast wel iets,' zei ze optimistisch en dat was ook zo.

Er was zelfs heel veel, brood en allerlei soorten beleg.

'Zal ik koffie zetten?' stelde hij voor. 'Koffieapparaten hebben allemaal een andere gebruiksaanwijzing.'

'Fijn,' zei ze, 'dan zijn we tegelijk klaar.'

Toen ze samen zo eensgezind bezig waren zei ze ineens: 'Ik was al van plan om te komen als de baby er was, deze narigheid heeft mijn komst alleen verhaast.'

'Ik begrijp het,' zei hij, 'ik stel het ook zeer op prijs dat je gekomen bent. Met de geboorte kun je weer komen als je wilt.'

'Meent u dat? Ik zal natuurlijk heel graag komen.'

'Je kunt hier altijd komen, dit is je thuis want ik ben je vader,' zei hij.

Ze had de bestekbak in haar handen toen hij dat zei, de bak met inhoud viel kletterend op de grond. Ze raapten samen de inhoud op en toen sloeg ze haar armen om hem heen en zoende hem. 'Dank u wel,' zei ze.

'Voor het oprapen van het bestek?'

'Voor alles,' zei ze.

Toen ze die avond in Lizzy's hemelbed lag, overdacht ze de gebeurtenissen van de dag. Ze hadden geluncht en een wandeling gemaakt langs de dijk, daarna was Frans gekomen. Hij had aan de toch wat stroeve gesprekken een eind gemaakt door te praten over hoe gezellig ze het met hun drieën hadden, Fleur, Eline en hij in de flat van zijn ouders. Hij voelde aan dat het geen kwaad kon Eline wat op te hemelen tegenover haar vader. Hij vertelde over het geduld dat ze nu al jarenlang opbracht om Fleur te helpen, eerst op school en nu op de universiteit. Fleur zegt altijd dat ze het zonder Eline nooit verder zou hebben gebracht dan achter de kassa van een supermarkt haar brood te verdienen, zei hij. Ook een eerbaar vak, had haar vader gezegd, maar als je het met wat hulp verder kunt brengen is dat altijd meegenomen. Haar vader was heel aardig tegen Frans geweest, dacht ze. Aardiger dan tegen haar. Ze hoopte maar dat hij nog wat bij zou trekken.

De volgende ochtend en middag bezochten ze Marieke en dat bracht verbetering, want Marieke straalde ondanks haar gezwollen neus die steeds donkerder van kleur werd. 'Ze behandelen me als het licht van hun ogen, zo zorgzaam,' zei ze. 'Ik heb de hoofdzuster vanochtend bijgebracht dat ik door jullie beider bezoek juist opknap en nu mogen jullie beide het hele bezoekuur blijven. Gezellig, jullie krijgen straks ook koffie. Extra service omdat ik hier in dit ziekenhuis werk. Ik moet oppassen dat ik me van louter gezelligheid nietg schurk in mijn bed want dat is nog wat gevoelig maar verder gaat het me uitstekend. Het kan niet beter.'

'Wat fijn allemaal,' zei Eline. 'Ik ga even naar beneden want ik heb gezien dat ze hier heel mooie bloemen hebben. Ik ga een boeket voor u uitzoeken, tot zo,' en ze wipte de kamer uit.

'Jullie hebben het samen toch wel een beetje gezellig gehad, begrijp ik,' zei Marieke toen ze de deur uit was.

Hij knikte haar geruststellend toe. 'Ik heb mijn best gedaan, zoals ik je beloofd heb,' zei hij. 'De broer van haar vriendin Fleur heb ik op bezoek gevraagd, omdat hij haar toch eerst wilde komen ophalen. Dat was wel een succes, die knaap is verliefd op haar, maar daarin heeft ze totaal geen erg.'

'Met een zieke moeder en al die andere zorgjes is ze waarschijnlijk nooit aan vriendjes toegekomen,' meende Marieke, 'dat komt allemaal nog wel.'

Toen zwaaide de kamerdeur open en kwam Eline weer binnen, haar gezicht verborgen achter een bos roze rozen.

Zondagmiddag voor Maarten haar terugbracht naar Utrecht zei ze: 'Ik droom ervan dat ik al die nare dingen over u heb gezegd en al die verwensingen heb geuit, verschrikkelijk gewoon. Ik voel me niet veel beter dan die man die Marieke van de dijk heeft gereden. Weet u, jaren geleden waren we eens op een schoolreisje met de hele klas. We liepen met zijn allen op een landweg waar een boerenkar reed met melkbussen erop en een paard ervoor. Ik weet niet waarom ik het heb gezegd, maar ik zei zomaar: 'Ik wou dat al die bussen er afvielen.' Even later gebeurde het inderdaad, de kar was in een greppel gereden en alle bussen waren er afgevallen, de weg zag wit van de melk. Toen zei een meisje uit de klas dat ik een heks was, omdat mijn wens uitgekomen was. Als ik eerder had geleefd zouden ze me hebben verbrand, zei ze. Ik heb er nooit meer aan gedacht tot ik las wat Marieke is overkomen. Gelooft u dat je door iemand zo verbitterd narigheid toe te wensen als ik heb gedaan, gelooft u dat het daardoor dan ook inderdaad gebeuren kan?'

Hij ging naar haar toe en ging naast haar zitten, hij sloeg zijn arm om haar heen en hij zei nadrukkelijk: 'Daar geloof ik geen klap van, dat was toeval. En dat met Marieke, dat heeft gewoon zo moeten zijn. Ik geef toe dat ik razend op je was toen ik je bij Mariekes bed terugzag, omdat je ons alle mogelijke ellende had toegewenst, maar ik geloof niet dat jij het ongeluk veroorzaakt hebt. Dat kan gewoon niet. Jij denkt dat omdat je te veel piekert, dat heb je waarschijnlijk van mij. Marieke heeft er dagwerk aan gehad me verschillende dingen uit het hoofd te praten.'

Eline kwam dat volgende weekeinde terug. En ook de week daarop, toen Eduard van Tricht werd geboren. Precies op tijd, een gezonde baby van zes pond. De vreugde kon in huize Van Tricht niet op. Eline ging steeds even naar hem kijken en spiedde naar gelijkenissen met zichzelf, ze kon er met de beste wil van de wereld geen vinden.

'Hij lijkt ook niet op zijn ouders,' troostte Marieke haar, 'dat komt allemaal nog. En als hij op zijn vader gaat lijken, lijkt hij ook op jou, je hebt dus nog altijd vijftig procent kans.'

'Als hij maar gezond is,' zei Eline grootmoedig, 'dan mag hij ook op zijn moeder lijken.'

14

Het was zaterdagmorgen, een halfjaar later. Marieke had bijna alle veranderingen die Lizzy had laten aanbrengen gelaten voor wat ze waren. Alleen in de keuken die van staal en zwarte natuursteen was, had ze zich nooit helemaal thuis gevoeld. De bar met de barkrukken eromheen werden nooit gebruikt, ze stonden haar ook niet in de weg maar wat ze in de keuken miste was de grote tafel die er vroeger had gestaan. Toen ze laatst in de oude linnenkast het door tante Marie gemaakte keukengarnituur had gevonden, een tafelkleed met zes kussens voor de stoelen die er in vroegere tijden omheen hadden gestaan toen het personeel van freule Van Zoelen er had koffiegedronken, was ze op een idee gekomen. Ze kon de tafel en stoelen die nog altijd in de schuur stonden in de keuken terugzetten en het geheel stofferen met het rode wit en zwarte geblokt garnituur van tante Marie. De slijtage aan stoelen en tafel was dan meteen met de mantel der liefde bedekt.

Ze wilde Maarten met de verandering verrassen. Terwijl hij met zijn zoon in de kinderwagen een wandeling op het paadje naast de dijk maakte, had ze met behulp van Dries, de tuinhulp, het meubilair naar binnen gesjouwd. Ze was tevreden over het resultaat, de tafel stond weer net als vroeger tegen het grote verwarmingselement aan, lekker warm en gezellig.

Ze kon weer in de keuken ontbijten, zoals ze vroeger met opa en tante Marie had gedaan. Maarten had ook nooit kunnen wennen aan een ontbijt op een barkruk. Een bar is voor een borrel, placht hij te zeggen.

Hij was meteen enthousiast toen hij de verandering zag. 'Het past ook nog bij al dat staal en zwart,' prees hij. 'We kunnen die tafel en stoelen netjes opknappen en dan hebben we een prachtige design-keuken.'

Toen ze daar later voor het eerst lunchten, zei Marieke,

terwijl ze de kinderstoel met Eduard erin wat dichter bij de bewuste tafel schoof: 'Weet je dat dit vroeger een stukje van mijn dromen was? Hier om deze tafel zitten, met man en kinderen?'

'Pas één kind en een man,' glimlachte Maarten.

'Morgen komt Eline en dan zijn het er al twee,' zei ze.

'Weet je dat Fleur en Frans meekomen?'

'Ik weet het maar ik heb Eline wel op het hart gedrukt dat jij ontzien moet worden, nu je nog maar zo kort weer hele dagen aan het werk bent.'

'Eline is altijd zuinig op me, als zij er is zorgt ze helemaal voor Eduard zoals je weet. Ze is dol op hem.'

Hij knikte. 'Gelukkig maar,' zei hij.

'Geluk,' zei Marieke peinzend, 'weet je wat tante Marie onder geluk verstond? Voor geluk is weinig nodig,' zei ze.

'Vrede met jezelf en met je omgeving is al genoeg.'

'Lukte haar dat?'

'Meestal wel, geloof ik.'

'Knap, als je toch eigenlijk helemaal alleen bent zoals zij. Er is een tijd geweest dat ik er een dagtaak aan had en dat het toch nog niet lukte.'

Ze glimlachte hem toe. 'En nu?' vroeg ze.

'Nu ben jij mijn geluk,' zei hij.